光媒の花

道尾秀介

集英社文庫

光媒の花 ● 目次

光媒の花

第一章　隠れ鬼

（一）

作業机に向かって受注伝票を捲《めく》っていると、店の呼び鈴が鳴った。

「ちょっと、行ってくるよ」

膝を立てながら母に声をかける。母は座布団に正座して、文机《ふづくえ》の上で淡々と鋏《はさみ》を使っている。丸まった背中の向こうに、やたらと切り込みを入れられたカラフルな色紙《いろがみ》が散らばっていた。

返事はない。

立ち上がり、後ろ手でそっと襖《ふすま》を閉める。蒸し暑い廊下を抜けると、店のカウンターの向こうに馴染みの客が立っていた。近所で板金《ばんきん》工場を経営している、吉岡《よしおか》さんという半白の髪の男性で、父の代からこの店をひいきにしてくれている。

「また氏名印を一つ頼もうかと思ってね。事務の子が一人、新しく入ったもんだから」

「いつもありがとうございます」

キャビネットの引き出しからゴム印の注文用紙を取り出して渡した。

「この前の会社印、あれまだだよね？」

「ええ、すみません。今日中に仕上げて、お届けしますんで」

「あ、いいよ。べつに急ぐわけじゃなし」

ショーケースを兼ねたカウンターの上で、注文用紙にボールペンを走らせていた吉岡さんは、ふと手を止めて私の背後に視線を投げた。

「塔子《とうこ》さん、このごろどう？」

「大丈夫ですよ、変わりありません」

私の返答を吉報とは受け取らなかったようだ。吉岡さんは眉を寄せて声を落とした。

「何かあったら、遠慮なく言ってくれればいいからね。いつでも相談に乗ってやれるんだから」

注文用紙への記入を終えると、吉岡さんは「じゃ」と片手を上げ、作業ズボンの裾を鳴らしながら店を出ていった。入り口の引き戸が開閉されたほんの数秒、油蟬《あぶらぜみ》の声が聞こえてきた。『遠沢《とおざわ》印章店』と逆さに書かれた硝子《ガラス》の向こう側で、路地のアスファルトが七月の太陽を白く跳ね返している。

注文用紙を手に、座敷へと戻った。

以前は作業机が店のカウンターのすぐ手前に置いてあり、日中はそこで篆刻《てんこく》と客の相手をしていたのだが、一昨年の夏頃から、私の姿が見えないと母が不安がって家中を探し回るようになったので、仕方なく作業スペースを座敷に移した。カウンターには客用の呼び鈴を据え、ご用の方は押してくださいというメモを添えてある。

「――母さん？」

閉じたはずの襖が開いていて、座敷に母の姿がなかった。廊下の右手から物音がする。

「何してんだ？」

台所の流し台の前に、母はいた。

「お茶だよ。マーの分も淹《い》れたからね」

丸盆に二つの湯呑《ゆの》みを載せ、母は私の横を過ぎていく。私は流し台の周囲に視線をめぐらせ、何も問題がないことを確認してから座敷に戻った。

「お父さんの分も淹れようと思ったんだけど、あの人、いないんだよ。出かけたのかね」

「さあ。便所だろ」

父は三十年も前に自殺していた。

そのことで、警察が何度もここへ話を訊《き》きに来たことも、母はきっともう忘れているのだろう。警察とのあいだで行われたやりとりも。

――ご主人があの日身に着けていたものを、ご提出いただけますか？

母はときおり、こうしてお茶を淹れるなど、思い出したように「普通」の行動をすることがある。しかし、なかなか完璧にこなすことはできない。

湯呑みの中を覗《のぞ》いてみると、入っていたのはただのお湯だった。

そのお湯を、私は一口すすった。

はじまったのは五年ほど前だ。刺身のパックに入っていた、草のかたちをしたビニール製のバランを、母は晩飯の最中に平然と口に入れた。珍しく冗談をやっているのかと思い、私は座卓の反対側で苦笑していたのだが、しばらく経っても母は淡々と顎を動かしつづけている。やがてそのまま呑み込もうとして、え、とえずいたので、慌てて立ち上がって母の口に指を突っ込んだ。唾液で濡れたバランを咽喉《のど》もとから掻《か》き出し、何を考えているのだと問い詰める私を、母はただ呆然と見返した。私はそのとき、別段心構えがあったわけでも、またそういったことに関する知識をとりわけ持っていたわけでもないが、ああはじまったんだな、と思った。

母の知性は、日向《ひなた》に落とした飴玉のように、ゆっくりと溶けていった。食べられるものと食べられないものの区別が曖昧になり、饅頭《まんじゆう》を齧《かじ》ったあとで、もぐもぐと消しゴムを嚙《か》んだ。便所での用の足しかたを忘れることもあった。服の脱ぎ着が上手くできなくなり、苛立った私がせかすと、哀しくてたまらない子供のように声を上げて泣いた。それがあってからは、もう更衣がまったくできなくなってしまった。どうも、袖に腕を通す方法がわからないらしい。

医者のアドバイスや図書館で借りてきたハウ・ツー本を参考にしながら、試行錯誤の日々だった。なんとか私が介護のコツとペースを摑《つか》み、日常の物事をこなしながら母の世話ができるようになったのは、ほんの一年ほど前のことだ。こちらが上手く対応できるようになると、母のほうでも不安が消えたのか、混乱することが減り、いまではだいぶ大人しくなっている。服の脱ぎ着もまたきちんとできるようになった。しかしそうはいっても、認知症の症状が消えたわけではなく、相変わらず母からは目を離すことのできない毎日だった。

「吉岡さんが、塔子さんは元気かって」

顔を上げ、母は自分の睫毛《まつげ》をじっと見つめるような目つきをした。

「とうこ」

「母さんは元気かって」

母は納得げに一、二度うなずき、そのまま唇をすぼめて湯呑みのお湯を飲んだ。

認知症によって自分の名前を忘れてしまうケースは、男性よりも女性のほうがずっと多いらしい。女性が自己主張できない時代を生き、夫から「おい」とか「お前」と呼ばれ、近所からは「奥さん」などと呼ばれてきたせいで、脳が疲れ果ててしまったとき、彼女たちは自分が何という名前なのかも思い出せなくなってしまうのだそうだ。母の世話に苛立ちがともなわなくなったのは、図書館から借りた本の中に、そんな説明を見つけてからのことだった。

「晩飯、何が食いたい？」

柱時計が三時を打ったので、いつものように訊いた。母は少しのあいだ、ぼんやりと瞬《まばた》きをしていたかと思うと、珍しく具体的な言葉を返した。

「そうめんだね」

おや、と思った。最近では質問の意味さえわからないことも多かったのだ。

「そうめんな、わかった。何か野菜と、そうめんにしよう」

壁のカレンダーに目をやる。三十一個の升目《ますめ》すべてに、私の字で、三行ずつ文字が書きつけてある。「朝ごはん食べた」「昼ごはん食べた」「晩ごはん食べた」——一日《ついたち》から、今日の升目の真ん中の行までが、赤い丸印で囲んである。こうして確認させてやらないと、母は何度でも食事を欲しがるのだ。

母が文机の上のものを無造作に払った。色紙がはらはらと舞い、鋏がぽとりと畳に落ちる。私がその鋏を取り、箪笥《たんす》の奥に仕舞っていると、母は文机の引き出しを探って、以前に医者の勧めで買ってやった画用紙と色鉛筆を引っ張り出した。

「絵を描くのか？」

返事はない。

私はやりかけの仕事を仕上げることにした。作業机に向かい、印床に印材を挟み込む。

「吉岡板金工場之印」という篆書体《てんしょたい》の文字は、もうすでに読めるようになっていて、あとは彫りを深くすれば作業はお終《しま》いだった。こうした手彫りの印鑑は、工場に外注する機械彫りのものに比べて単価が高いので、ありがたいのだが、この頃急に注文が減った。やはり駅ビルの中にできた、チェーンの印章店のせいだろうか。

母の文机からは、色鉛筆が画用紙の上を滑る単調な音だけが聞こえていた。

窓に下がったカーテンの向こうを、子供たちが賑《にぎ》やかに通り過ぎていく。小学校の下校時刻なのだろう。店の筋向かいにある小さな児童公園に入っていったようなので、カーテンの隙間からそちらを覗いてみた。公園の中で、子供たちは丸くなってジャンケンをしている。ほどなくして、たった一人だけをその場に残し、全員がサッと駆け出したところを見ると、いまどき珍しい隠れ鬼でもはじめるものらしい。黄色いTシャツを着た小柄な少年が、公園のこちら側にある植え込みに身を隠した。私からは丸見えの背中が、鬼が公園の真ん中で数をかぞえ終わるのをじっと待っている。

ばらばらになった少年たちを眺めながら私は、いつか母が死に、自分が死んだら、父の遺したこの店はどうなるのだろうと考えた。四十も半ばを迎えた私には、妻も子供もいない。親戚の誰かが、店の後始末をしてくれるのだろうか。

振り返り、母を見た。母はきちんと背筋を伸ばして画用紙に向かい、薄緑色の色鉛筆を、かつかつと規則的に動かしている。画用紙の下半分には、刃物のように尖った緑色の葉がたくさん描かれていて、その葉群《はむら》の手前に、母はいま、小さな薄緑色の点を散らしているのだ。

「それ……」

氷を呑んだように、腹の底が冷たくなった。

薄緑色の、小さな花。

笹の花――。

（二）

三十年に一度、笹は花を咲かすと言われている。

父がまだ生きていた頃、私はその花を見たことがある。

長野県の山間《やまあい》に、父は別荘を所有していた。印材の輸入で小さな成功をおさめた洒落者《しゃれもの》の祖父が、この店とともに父に残した遺産だった。私が幼い頃から、私たち家族は毎年夏の数日をその別荘で過ごしていた。小さくて安普請《やすぶしん》だが、水楢《みずなら》の木漏れ日の中によく映える建物で、部屋の中はいつも甘い木の匂いに満ちていた。御座山《おぐらさん》という、かたちの優しい山の裾に位置し、午前中はいつも周囲の空気が白く靄《もや》って綺麗だった。

別荘へ行ったところで、別段そこで何をするというわけではない。職人肌の父は、ただ一人で黙然《もくねん》と新聞を読み、ときおり釣り竿を持ってふらりと玄関を出ていくだけで、母など、自宅にいるときとほとんど変わりがなかった。一時間もかけて食料品店へ買い出しに行っては、私たちに普段と同じような料理を食べさせ、手が空いているときには部屋の中を丁寧に掃除した。

小学校時代まで、私は別荘での生活がこの上なく楽しみだった。そのころ凝《こ》っていた伝奇ものの漫画本をたくさん持っていき、寝室の押し入れの中で、木の匂いに包まれていつまでも読みふけった。が、何度もそこで夏を過ごすうち、いつのまにか別荘はただの見慣れた建物へと変わっていき、中学生になると、連れていかれることを少々億劫《おっくう》に感じるようになった。それでも、父は家族に意見されるのを極端に嫌う人だったので、夏が来ると私は父の運転する灰色のセダンに黙って乗り込んだ。

あの人に初めて会ったとき、私は中学二年生だった。クラスメイトたちよりも少しだけ遅い声変わりを迎えた直後で、ひょろ長い身体に掠《かす》れた声の、ひどくアンバランスな存在だった。

その日の午後、私は取り立ててやることもなく、人けのない森の中を歩いていた。葉を茂らせた水楢の下に、深い笹の下生えが広がっている一帯で、その下生えの中に獣道のような隘路《あいろ》が一本延びていた。日中、私はそこを歩いて暇を潰すことが多かった。耳を澄ませば周囲で枝が伸びる音が聞こえそうなほど静かで、ときおり風が吹くと、一面の笹が、まるで風そのもののように一斉にひるがえって葉裏を見せた。そうしてぶらぶらと散歩しているあいだ、誰かと行き合ったことは一度もなかった。祖父の遺した別荘は、それだけ辺鄙《へんぴ》な場所にあったのだ。だから、靄った視線の先に、薄紙でも剝《は》いでいくようにあの人の姿が見えてきたとき、私は思わず立ち止まっていた。

あの人は、薄いブルーのワンピースに、白いミュールを履き、小径《こみち》の先から近づいてきた。私のいるあたりはちょうど左右から笹の葉が迫《せ》り出していて、人間が二人すれ違えるほどの幅はない。彼女がそばまでやってくると、私は身を引いて後退し、サンダルの両足で笹の葉群に踏み込んだ。

「ありがとう」

少し掠れた声で言われ、私は首を横に振って顔を伏せた。あの人の足の爪には、薄いオレンジ色のマニキュアが塗られていて、左足の小指の脇に短い切り傷があった。つくりもののように整った容姿と、生々しいその傷が不似合いで、私の視線はしばらくそこに留まった。

「笹の葉で、切ったの」

透き通った耳に髪を引っ掛けながら、あの人は私の顔を覗き込むように見た。私は何か言おうとして口をひらいたが、変声期の最中《さなか》にあった不安定な声は、咽喉の裏側に突っかかって消えた。

「この笹、冬になると、葉っぱの周りが白くなるのよ」

あの人の両目は、じっと私の顔に向けられたままだった。自分はこの人と知り合いだったろうか。どうしてこの人はこんなに自分の顔を見るのだろう。

「隈笹《くまざさ》――っていうのよね」

「そうだと思います」

今度は上手く声を出すことができた。私の声を聞いたとき、切れ長のあの人の目が、ほんの少しだけ広がった。猫が、何か不思議な動きをするものを見つけたときの表情に似ていた。

「名前、何ていうの?」

「え」

「あなたの、名前」

「遠沢……正文《まさふみ》です」

冷たい彫刻が急に人間に変わったように、あの人の顔に笑みが浮かんだ。

彼女がそうして微笑んだ理由を、そのとき私はまだ知らなかった。

やがて、あの人は私のそばを離れ、小径を遠ざかっていった。幼い子供みたいに、ときおり片手を水楢の幹に触れさせながら。真っ白なふくらはぎが、二匹の柔らかい草食動物に似た動きで、尖った隈笹の葉に見え隠れしながら遠ざかっていくのを、私は息を殺して見つめた。

翌日、珍しく父が私を釣りに誘った。しかし私は身体がだるいと嘘をついて断り、前日と同じ場所で、あの人を待ち伏せた。

彼女はやってきた。

遠くから小径を歩いてくるその姿を見つけると、私は咄嗟《とっさ》に身を伏せた。忍び足で隈笹の中を引き返し、大きな円を描いてあの人の行く手——ずっと先へと回り込み、背中を向ける格好でゆっくりと歩きはじめた。追いつかれたかったのだ。顔を見合うかたちで会ってしまえば、待ち伏せしていたことを表情から悟られるのはわかりきっていた。

やがて背後から、さくさくと草を踏む音が近づいてきた。

「また、散歩してるのね」

私は立ち止まり、いかにも驚いたという表情をつくって振り向いた。あの人の薄い唇には微笑が浮かんでいて、その微笑がまるで、私の嘘をすべて見抜いている証拠のように思え、とたんに恥ずかしくなった。頭の中にあらかじめ用意していた会話《やりとり》は、どこかへ消え失せた。

「この先で、お店をやってるの」

視線をずらし、あの人は私の肩越しに目をやった。

「ウッド・クラフトって、わかる?」

訊きながら、小径を歩きはじめる。私は少し遅れて、それにつづいた。土の匂いに混じって、足下で踏み分けられた隈笹の青くさい香りが立ちのぼってくる。いまでも私はあの人のことを考えると、潰れた隈笹の香りを思い出す。苦くて、青くて、透明なあの香りと——それから、生臭い、ある別な匂いを思い出す。

あの人は決して饒舌《じょうぜつ》ではなかった。物憂げな声で、ぽつりぽつりと断片的なフレーズを口にし、相手にそれを頭の中で長い言葉に変換させるような、独特の話しかたをした。

東京から、一人でやってきたらしい。ウッド・クラフトの店をひらき、自分で作製した木工品を、小さな商品棚に並べて売っているのだという。客は少なく、平日などまったく商品が売れないこともあるが、もともと半分は趣味ではじめた店なので、それでもいいのだとあの人は笑った。

「だから、昼間にこうやって散歩してても平気なんですか?」

訊くと、少し時間をおいてから言う。

「息が詰まっちゃうから」

言葉の意味が、私にはよくわからなかった。一人で店をやっていて、客も少ないというのに、どうして息が詰まるのだろう。

「ほんとに、息が詰まりそうになるときもあるのよ」

あの人は左手の指先を私の顔の前に差し出した。

「ニスの匂いが強くて」

あれは冗談のつもりだったのだろうか。

ジグソウパズルのような木漏れ日が、あの人の指に映っていた。相手にただ指を見せるよりもほんの少し長く、彼女は左手を差し出したままでいた。私が何か言おうとすると、その手は下ろされ、あの人はまた歩き出した。

「――この先」

彼女が立ち止まったのは樹林の端だった。陽《ひ》を受けた砂利敷きの車道が、左右に真っ直ぐ延びている。目の前が急に明るくなり、私は目を細めた。あの人も目を細めながら、右手のほうに顔を向けていた。砂利道の先に、木造りの小さな建物が見える。よくある土産物屋のような店構えで、土間になった入り口部分に、商品を並べた棚やテーブルが置かれていた。

「あれが、お店ですか？」

あの人がうなずくと、耳にかかっていた髪が音もなく頬を撫《な》でて落ちた。しばらくのあいだ、彼女はうつむいたまま、自分のミュールの足先をぼんやりと眺めていた。左足の小指に、昨日見たあの赤い傷が、まだ残っている。

「ここで、戻ったほうがいいわ」

そう言い残すと、あの人は白い光に溶け込むように、砂利道へ歩を踏み出した。店の軒庇《のきびさし》をくぐるとき、笑いながら誰かに言葉をかけるのが聞こえた。


翌日も、隈笹の茂みであの人を待ち伏せた。

前日とほぼ同じ時間に、あの人は現れた。

「今日の夕方、もう帰るんです」

肩を並べて小径を歩きながら私は伝えた。何かを期待した言葉ではなかった。

「……そう」

じっと前を向いたまま、あの人は素っ気ない声を返した。

それからしばらくのあいだ、隈笹を踏み分ける二人の足音だけがつづいた。気づかれないよう、私は彼女の横顔を盗み見た。長い睫毛が、ときおりの瞬きにつれてゆっくりと上下すると、まるでそこだけ別の生き物のように見えた。

ふっと、あの人が笑った。

何か面白いことでも思いついたというような横顔だった。油蟬の鳴き声が、緩慢な強弱をともなって周囲に響いていた。あの人は立ち止まり、私に身体の正面を向けた。目の前で、曖昧な葉影に彩られたその顔が、今度ははっきりと笑った。

私の唇が柔らかく押し潰された。あの人の髪の匂いが私の顔を包み、甘いような吐息が頬を撫でた。口の中に、勢いよく魚が泳ぎ込む感触があった。生温かいその魚は、全身をくねらせて私の中を泳ぎ回った。何が起きているのか、私にはわからなかった。頬骨のあたりに、あの人の鼻が何度か触れた。唇や舌は熱いのに、あの人の鼻は冷たかった。

顔がそっと遠ざかったとき、私は漠然とした恐怖のようなものを感じ、隈笹を踏んで後退した。Tシャツの背中が水楢の硬い樹皮にぶつかった。あの人は私が後退した分だけ前進し、先ほど私に唇を押しつけたのと同じように、何の前触れもなく右手を伸ばして私のジーンズに触れた。あの人の唇は横に結ばれていた。その表情は、もう少しで声を上げて笑い出しそうなのを堪《こら》えているようにも見えた。ジーンズの生地を引っ掻くように、あの人の爪が一、二度上下し——私は吸い込んだ息が吐き出せなくなり、あの人の顔から視線をそらすこともできず、ひたすら身体を強張《こわば》らせて水楢の樹皮に背中を押しつけていた。

油蟬の鳴き声が、耳の中でうねっていた。そのうねりに合わせ、周囲の景色が、うわんうわんと明滅し、私は声を上げてしまいそうになるのを、顎に力を入れて必死に抑えていた。私の下で、あの人の髪が、夏の葉に濾《こ》された光を映しながら揺れていた。熱されてどろどろになった飴が、隙間なく私を包み込み、奥へ奥へと誘い込んでいるようだった。その熱の中に、私が溶けるように自分を放つまで、いくらもかからなかった。どうしてこんなことをするのだろう。何かの仕打ちを、私は受けているのだろうか。何か悪いことをしたのだろうか。――私の意識は、明るい部屋で眠りに落ちる間際のように朦朧《もうろう》としていた。

立ち上がったあの人の目が、緩やかな風に揺れる前髪の向こう側で、どこか寂しげに微笑んだ。最後にもう一度だけ、彼女は私に唇を押しつけた。あの人の匂いと自分の匂いが鼻先を漂い、私は夏の夢を見るように目を閉じた。

（三）

か、か、か、か、か、か――文机の画用紙に向かい、母は執拗《しつよう》に色鉛筆の先を押しつけている。笹の葉群の手前に、薄緑色の花が無数に散らされていく。冷たい不安にじっとりと胸を湿らせながら、私は母の背中に声をかけた。

「母さん、そんなもの……いつ見たんだ？」

母はぴたりと色鉛筆の動きを止めた。画用紙を眺め、しばらくぼんやりしていたかと思うと、今度は青の色鉛筆を手に取り、また何か描きはじめる。生い茂る笹の中に母が描いたのは、一人の人間だった。不格好で、顔も、着ている服の様子も判然としないが、それが男であることだけは見て取れる。

「それ……」

母がふたたび色鉛筆を持ち替えた。今度は赤だった。

「それ……誰だ？」

母は答えない。赤い色鉛筆の先を、画用紙にこすりつけるようにして、もう一人の人間を描きはじめる。青い男の、すぐ隣だった。髪の長い女の姿が、しだいに輪廓《りんかく》を現していく。

笹の花の向こう側。

男と女の姿。

どうして母が知っているのだ。

何故母があの光景を描けるのだ。

（四）

あの人の名前を、訊いておけばよかった。

秋、冬、春と、私はそればかりを思っていた。自分の体験がいったい何だったのか、どうして彼女は自分にあんなことをしたのか、そんなことはどうでもよかった。ただ私は、あの人の名前を知らないことが哀しかった。

中学三年生の夏が来た。私はふたたび無口な父の車に乗り込んで、あの場所へと向かった。

まったく時間が経っていなかったかのように、彼女は現れた。涼しげなワンピースを着て、危うげな足取りで、やはり隈笹の小径をゆっくりと歩いて私に近づいてきた。

「車が、別荘に停まってたから」

父のセダンが別荘の前にあるのを見つけ、私が来ていることを知ったのだという。

「だから、来てくれたんですか？」

訊くと、あの人は曖昧に視線をそらして微笑んだ。白いうなじを風が撫でていった。


翌日も、私はあの人を待ち伏せた。そしてその翌日も。

あの人は、二度と私にあんなことはしてくれなかった。私と並んで小径を歩くときの態度にも、何の屈託も感じられなかった。去年の夏に私にしたことを、すっかり忘れているのだろうか。そう訝《いぶか》ってしまうほどだった。

小径を歩きながら、何度、あの人に名前を訊《たず》ねようとしただろう。しかしどうしても心が怖《お》じけてしまい、私にはその質問を口にすることができなかった。名前だけではない。あの人から何かを訊き出そうとすることは、私たちのあいだを繋《つな》いでいる「秘密」

を壊し、あの人を自分の前から立ち去らせてしまうというような、根拠のない不安があった。自分たちの関係が、私の知らない何かによって危うく保たれているような気がしてならなかった。そしてそのおぼろげな考えは、いまにして思えば、ある意味で正しかったのだ。

「笹の花、見たことある？」

唐突に訊かれた。

「笹って、花をつけるんですか？」

「つけるわよ」

三十年に一度、笹は花を咲かせるのだと、あの人は教えてくれた。彼女自身も見たことはないが、それは薄緑色をした、とても可愛らしい花なのだという。

「それから、笹はどうなると思う？」

「え？」

「花をつけた、あと」

私は黙ってかぶりを振った。あの人が説明してくれるものと思い、そのまま待ったが、彼女はふと行く手の枝葉を見上げ、まったく予想していなかった言葉をつづけた。

「私、来年で三十になるんだ」

その夏が終わると、私は中学校の図書室で笹の花について調べてみた。笹の開花は非常に珍しく、三十年に一度と言われている。開花は群落で一斉に起こることが多く、花のあとに生じる実を食べて野鼠《のねずみ》が異常繁殖することもあり、昔は笹の花は不吉なものと目されていたのだという。開花の要因は、笹の栄養状態によるとも、遺伝子に組み込まれているのだとも言われているが、いまだにはっきりしていない。花を咲かせたあと、笹がどうなるか。――ある本に、その答えが載っていた。

花を咲かせた笹は、すべて枯れてしまうらしい。

秋が来た。冬が過ぎ、春になり、私は都内の公立高校に進学した。頭の中には相変わらず、名前も知らないあの人のことが靄のように漂っていた。私の放逸な想像の中で、あの人は何度も私を呑み込み、何度も私の下で真っ白な身体をひらいた。

（五）

高校生活最初の夏休みがやってきた。父の車に乗り込んで別荘へと向かう私の胸は、あの人のことで溢《あふ》れかえっていた。目にした仕草や、囁《ささや》かれた言葉、あの人の香り、木漏れ日を映した細い指、私の下でゆっくりと揺れていた髪、それらを思い、口も利かずに車の後部座席から窓外の景色を見つめていた。到着したらすぐにあの場所へ行こう。

走って行こう。そればかりを考えていた。

しかし、あの人は水楢の樹林に現れなかった。

二日目も同じだった。私は汗の匂いと噎《む》せ返るような草いきれに包まれながら、隈笹の茂みでじっと待った。どうして来ないのだろう。別荘に父の車が停まっていることに、気づいていないのだろうか。光沢のある赤い蟻が数匹で、腐った落ち葉に見え隠れしながら芋虫を運んでいくのを、私は長いこと眺めていた。

夕暮れになると、樹冠越しの夕陽を受けた隈笹の葉が、濡れた絨毯《じゅうたん》のように赤らみはじめた。母が夕食を用意しはじめている頃だ。日が落ちきるまでには、別荘に戻らなければならない。

立ち上がり、歩き出した。しかし向かった先は、父や母が待つ別荘ではなかった。

私の両足は、あの人の店を目指していた。

——ここで、戻ったほうがいいわ。

謎のようなあの言葉が頭の隅をかすめたが、足は止まらなかった。小径を出て砂利の道路を渡り、私は店の入り口に立った。

あの人は、そこにいた。小さなウッド・クラフトたちに囲まれ、緑色の椅子に、静かに脚を組んで座っていた。私の顔を見ると、いくらか驚いた様子で眉を上げ、上体を真っ直ぐにした。

「昨日、来たんです」

あの人は少し時間を置いてから、小さく顎を引いた。

「車、停まってたわね」

その言葉が、私には哀しかった。理不尽とは知りながら、わざと非難めいた響きを持たせて言った。

「散歩、やめたんですか？」

しかしあの人は、私の言葉の棘《とげ》を驚くほどあっさりと無視し、物憂げな声を返した。

「ちょっと、面倒だったから」

店先に立ったまま、私はただ相手の顔を見た。肌身離さず持ち歩いていた大切なものが、気づかないあいだに盗み取られていたというような思いに囚《とら》われ、子供じみた言葉が咽喉の手前で震えていた。

「暗くなるから、もう帰りなさい」

その日、別荘の布団の中で、私の夜はなかなか明けなかった。

翌日も、いつもの時間に別荘を出た。悔しかった。哀しかった。じっとしていることなどできなかった。私は自分の鼻先を睨《にら》みつけながら、あの小径へと真っ直ぐに歩を進めた。

立ち止まったのは、水楢の樹林がすぐ目の前まで迫ったときのことだ。

最初は、霧が出ているのかと思った。水楢の樹林の底に、霧が沈んでいるのだろうと。

しかし違った。

「これ……」

笹の花だった。三十年に一度咲くという笹の花が、一面に広がっているのだ。私は足を速め、飛び込むようにして隈笹の茂みに足を踏み入れた。ぞくぞくするような思いで屈み込み、子細に花を見た。あの人が言っていたとおり、それは薄緑色の花弁を持った、美しい花だった。細い細い穂の先に、まるで冷たい花火のように、ぱらぱらと無数に散っている。——今日、必ずあの人は私に会いに来る。根拠のない予感が胸にわいた。あの人は私と並んで歩きながら、笹の花を初めて目にしたことを喜んで、歳の近い女の子のように声を上げる。ワンピースの裾をからげ、危なっかしくよろめきながら私に笑いかける。

花の中を泳ぐようにして、水楢の樹林を進んだ。小径の手前まで行き着いたとき、遠くに人影が見えた。しかしそれは、あの人ではなかった。

父だった。

冷たい手で心臓を摑まれたように、私は硬直した。

私が別荘を出る少し前、父は釣り竿と道具入れを持って出かけていった。流し台の下に水漏れがあるようなので調べて欲しいという、母の言葉を聞き流し、そのまま無言で玄関を出ていったのだ。

気がつけば私は隈笹の花の中にしゃがみ込んでいた。父は立ち止まり、周囲を見回している。釣り竿も道具入れも持っていない。どこかへ置いてきたのだろうか。誰かを探しているようだ。待ち合わせたはずの誰かが、何故ここにいないのだろうと、不思議がっているような素振りだった。やがて、あの人がやってきた。小径の右手から、いつものように、足下を気にしながら、ゆっくりと近づいてきた。風が吹き、隈笹の葉先がちりちりと私の腕を擦《こす》った。

父が笑い、明るい声をかけながら、あの人のほうへ歩を進める。何と言ったのかは聞き取れなかった。しかし、父があの人に会うのが初めてではないことはわかった。あの人が声を返す。二人の距離が徐々に近づいていく。私は隈笹の茂みで息を殺し、無数に咲いた花の向こう側を凝視していた。――小径の周囲を、片手で撫でるように示しながら、あの人が嬉しげな声を上げる。花のことで何か言ったようだ。父はもう、あの人のすぐそばにいた。全身の神経がどこかへ消えてしまったように、私は無感覚になっていた。緑色の舞台で進行する人形劇を、ただ眺めるばかりだった。男の人形が、女の人形の腰を抱く。二つの人形の、顔同士が重なり、上背のある男の人形が、相手に乗りかかるようにして、細い腰をさらに引き寄せる。相手を食べるように、男の人形の顔が動く。

女の人形は真っ白な両腕を相手の首に絡ませる。

私という観客がいることを、あの人は知っているはずだった。知っていて、あんなことをしているのだ。いまになって、私はようやく思い至った。私が最初に名前を言うと、あの人は薄く笑った。あのとき彼女は、私が誰であるかを知ったのに違いない。自分が関係を持っている男の、実の息子であることを。私という青白い玩具で、彼女はただ遊んでいただけだった。いままでも。そして、いまこの瞬間も。

二人が身を離した。あの人の手が父の胸を押し、父は何歩か後退して、その背中が水楢の幹に触れて止まった。硬い樹皮の感触を、私は自分の背中に感じた。

あの人の身体が、隈笹の花の中に消えた。

静かだった。油蟬の声も、葉擦《はず》れの音も、何も聞こえなかった。やがて、父の顔が一瞬、苦しげに歪んだ。

あの人が立ち上がった。父が何か言う。あの人が首を横に振って言葉を返す。短い笑い声。表情は見えなくても、彼女が唇の端だけを持ち上げて笑ったのがわかった。父がまた何か言う。今度は怒ったような、低い声だった。あの人がふたたび首を横に振る。長い髪が、相手をからかうように木漏れ日の中で揺れた。

別荘へと戻る私の視界は、涙でぼやけていた。

母は買い物にでも出ているらしく、別荘のドアには鍵がかかっていた。合い鍵を渡されていなかったので、私は木目のささくれ立ったポーチに尻をつけ、膝を抱えて、両親のどちらかが戻ってくるのを待った。無論それは、母であって欲しかった。

幸い、先に現れたのは母だった。金物屋の紙袋を小脇に抱え、母は私に謝りながら近づいてきた。水道管の漏れを修理するのに必要な道具を買ってきたのだという。母の見せてくれたそれは、ウォータープライヤーという、口の部分がCの字になった、柄の長いペンチのようなものだった。その無骨で大きな工具と、母の印象があまりに不似合いで、私は少し笑った。笑った拍子に、両目から涙がこぼれそうになった。それを母に見られないよう、いかにもずっと我慢していたような格好でトイレに駆け込んだ。狭い個室で見上げた白熱灯が涙で眩《まぶ》しかった。

夕刻、強い雨が降った。

あれからほどなくして釣り竿と道具入れを持って戻ってきた父は、別荘の壁際に立ち、薄い窓硝子越しに、長いこと雨を睨みつけていた。一度、小さな声で何か呟《つぶや》いた。話しかけられたのかと思って顔を上げたが、父はただ唇を結び、顎を硬くして、四角い夜の向こうを見ているだけだった。夕食の支度をしながら、母がダイニングで聞いていたラジオでは、この強い雨は夜のあいだ降りつづくだろうと報じていた。

「明日、帰るぞ」

夕食のテーブルで、父は言った。この雨で川が増水し、釣りもできなくなるだろうし、周囲の土地はぬかるんで危ない。一日建物の中でじっとしているくらいなら、ここにいても仕方がないという意見だった。

別荘の屋根に、雨はいつまでも降りつづいた。

翌朝、私たちは落ち葉の一面に張りついた車に乗って帰京した。

あの人の遺体が隈笹の小径で見つかったことを、私は帰京した三日後の夕方、テレビのニュースで知った。発見したのは、隈笹の一斉開花を取材しようとあの場所に足を向けた地元新聞の記者だったらしい。ニュースによると、あの人は木の幹に何度も顔を叩きつけられて意識を失い、そのまま放置されて衰弱死した可能性が強いとのことだった。

三十歳のあの人は、三十年に一度の花の中で死んでいった。

父が自ら命を絶ったのは、その翌日のことだ。見つけたのは私だった。店のカウンターの内側に据えられた、木製の作業机に向かい、父は印刀で首の横を大きく切り裂いて死んでいた。作業机に顔をつけ、白いものの交じりはじめた頭を両腕で抱え込み、何か長い声を発しているように、ぽっかりと口をあけて死んでいた。

父の葬儀が終わると、家に警察がやってきた。あの人の死について、警察は父に対する明確な疑いを持っており、そのことを母の前で隠そうとしなかった。断片的に洩《も》れ聞こえてきた言葉から私は、父とあの人がかなり以前から「親密な関係」にあったことを知った。何年前のことなのか、それは不明だが、私たち家族が別荘に滞在しているあいだに、二人は何かの拍子に知り合い、これまで断続的な付き合いをつづけてきたのだろう――警察はそう踏んでいた。きっと、それは事実だったに違いない。

「ご主人があの日身に着けていたものを、ご提出いただけますか？」

警察は父のジーンズとTシャツを押収していった。

それからも、警察は何度か家にやってきた。しかしだんだんとその来訪は間遠になっていき、やがてまったく現れなくなった。犯人不明のまま、どうやら捜査は打ち切られたらしい。

母はあの別荘を売った。私は高校を卒業するのを待ち、父の弟である叔父の助けを借りて、この店の仕事を継いだ。叔父は二駅先の街で、やはり印章店をやっていて、私に経営のいろはと篆刻の技術を教えてくれた。

叔父は私たちに対してひどく親切だった。身内だからというだけではなく、父のことで、負い目があったらしい。

――ほんとのとこ、俺も、兄貴がやったんじゃないかと思ってたんだよ。警察の話なんか聞いてると、やっぱりな。

別荘地での殺人事件について、叔父はそんなふうに言っていた。

——でも、お前たちはなんも関係ないんだ。兄貴がやったこととは、なんも関係ない。私がようやく仕事をおぼえ、商売も採算が取れるようになってきた頃、その叔父も肝臓の病気であっけなく死んだ。それから私と母は、二人で懸命に働きながら暮らしてきた。やがて私も歳をとり、老いを感じるようになった。母はもっと歳をとり、脳を縮ませて刺身のバランを口に入れた。

（六）

母の絵を見下ろしたまま、私は声も出せずにいた。

花を咲かせた一面の笹。その中に立っている、男と女。

この男は——誰だ。

あの場所で笹が一斉に花を咲かせた翌日、私たちは帰京した。つまりこれは、あの日の光景でしかありえない。

私は想像する。あの日、私が別荘に戻ってきたとき、母は出かけていた。金物屋に行っていたのだと私には話していたが、あれは半分は嘘だったのではないか。買い物は、たしかにしたのだろう。あの無骨な工具が入っていた金物屋の袋を持っていたのだから。しかし母は、その店から戻ってきたところではなかった。あの水楢の林から戻ってきたところだった。私の想像は、冷気のように胸の底を這《は》いながら静かに広がっていった。母は見ていた。——母は見ていた。

何を見ていた。

誰が、何をするところを。

「……母さん」

色鉛筆を文机の上に置き、母は画用紙を両手で撫でさすりながら、か細い声で鼻歌を歌いはじめた。その横顔には邪気のない微笑が浮かんでいる。歌いながら、母はふと顔を上げた。視線の先にあるのは、壁に掛けられたカレンダーだった。

そのカレンダーに目を向けて、私ははっとした。

「今日……」

そして、ようやく自分の思い違いを知った。

膝先に目を落とす。母が何度も切り込みを入れていた色紙が、畳の上に散らばっている。

「これ——笹の花じゃないのか？」

私は母の文机から画用紙を取り上げた。

母は目を細め、ちょっと首をかしげるような仕草をしてから、雨、と小さく答えた。

「忘れちゃったの？」

六つか七つの子でも笑うように、母は笑った。

そしてまた、同じ歌を口ずさんだ。

ささのは　さらさら
のきばに　ゆれる
おほしさま　きらきら
きんぎん　すなご

今日が七夕だということなど、すっかり忘れていた。

子供の頃、母は七月七日の夕食には必ずそうめんを出してくれていた。七夕には、そうめんを天の川の流れや機織《はたお》りの糸に譬《たと》えて食べるのだと、母は私に教えてくれた。

「いつも笹を飾った……マーが子供の頃」

そう、公園から笹を取ってきて、母はこの部屋の窓の外に飾ってくれていた。そして色紙を器用に切り、網飾りや提灯《ちょうちん》や吹き流しをつくって笹の葉に吊《つる》した。

「雨が降ったことがあって……」

母の画用紙に目を戻す。たくさんの笹の葉。薄緑色の点は、花などではなく、そこに降りかかった雨。寄り添う男女は織姫と彦星。

憶えている。

小学校時代のある七夕の夜、弱い雨が降った。飾りを吊した笹を家の中に仕舞おうと、私と母は傘をさして表に出た。そのとき母は私に、七夕に降る雨の呼び名を教えてくれた。

――さいるいう？

洒涙雨という字は、長じてから知った。

――そう、お別れの涙なのよ。織姫と彦星が、お別れを哀しんで流す涙なの。

そのとき興味深くうなずいて、笹の葉に散った薄緑色の水滴を眺めていた少年は、長い月日が経ったいま、白髪交じりの頭を抱えて消せない罪の記憶に怯《おび》えている。あのときの感触。父が立ち去ったあとの小径で、あの人の頭を摑み、何度も何度も水楢の幹に叩きつけたときの感触。自分の心臓の音が、耳の奥で鳴り響いていた。私の身体を撫でるように滑り落ちて倒れたあの人の、真っ赤に染まった顔。ぶるぶると黒目を痙攣《けいれん》させながら、あの人は私の目を見て、何か言葉を口にした。声は聞こえず、額と鼻から流れ出た血が口の中に溜《た》まって、がらがらと音を立てた。半分捲《まく》れ上がったスカートから、白い両脚が腿《もも》まで飛び出していた。

作業机の前で死んでいた父。座布団の脇に置かれていた遺書。私が破り捨てた遺書。具体的なことは何も書かれていなかった。ただ父は、どうしていいのかわからない、すべては自分の責任だと書き遺していた。その文面の意味を、私は一読して理解した。父は、あのとき自分が立ち去ったあとに私がやったことを知っていたのだ。息子が自分の愛人と関係し、青白い心を狂わせて、ついには相手を殺害してしまったことを知っていたのだ。

「母さん――」

母の背中にかけた声は中途半端に掠れていて、まるで変声期を迎えたばかりの、何も知らないあのときのようだった。しかし本当の私は、他人の人生を壊し、自分の人生を壊し、老いはじめた身体で途方に暮れている一人の殺人者なのだった。

「笹、取ってこようか」

窓の外で、一匹の白い蝶が舞っている。夏の光を楽しむように、遊ぶ相手を探すように。児童公園の植え込みでは、黄色いTシャツの少年が、まだじっと隠れている。鬼の動向をときおり窺《うかが》いながら、小さな背中がわくわくしている。

あれから三十年。私にはもう、探してくれる鬼もいない。

第二章

虫送り

（二）

鬼は探しに来なかった。

気になって植え込みの陰から出てみると、いつのまにか公園には誰もいなくなってい た。滑り台のそばに、ひとかたまりにして置かれていた六つのランドセルも、たった一つだけを残して消えている。もちろん僕のだ。

はじめから、おかしいとは思っていた。普段相手にしない僕を、いっしょに帰らないかと誘った上、公園で遊ぼうなんて言ってきたのだから。しかもその遊びというのが隠れ鬼だ。隠れ鬼なんて、一年生のときに何度かやって以来、そんな遊びがあったことさえ忘れていた。公園の真ん中でジャンケンをして、鬼を決めはしたけれど、本当の鬼はきっとはじめから僕だったのだろう。

フライパンのように熱くなったランドセルを拾って児童公園を出た。油蟬の声がひどくうるさいのに、あたりはとても静かに感じられた。太陽が首の後ろをじりじりと焼いて、汗のしずくが咽喉からＴシャツの胸に滑り込んでくる。

家に向かって路地を歩きながら、僕は夜の虫捕りのことを思った。

妹と二人で虫捕りに出かけるようになったのは、先月のはじめからだ。ペースはだいたい三日にいっぺんくらいで、場所はいつも河原だった。夕方、晩ご飯を電子レンジで温めて食べたあと、空が完全に暗くなるのを待って、僕らは二台の自転車で河原を目指す。虫かごと、虫捕り網と、懐中電灯を二本持って。二歳違いの妹は、まだ小学校二年生で、自転車の運転があまり上手ではなかったから、僕は先を走りながら、なるたけ凸凹の少ない道を選んだ。

虫捕りと言っても、それは僕たちがただそう呼んでいただけで、虫かごや網を持っていきはするけれど、いつも虫を捕るわけではなかった。ただ二人で土手に腰を下ろし、お父さんやお母さんのことを話したり、橋の上を行き来する車のライトを眺めたり、僕が懐中電灯を素早く動かして、地面に文字を書き、妹がそれを当てたりして過ごすだけのこともある。暗い場所に二人だけでいることが不安で、でもそのやわらかいような不安が、僕たちには心地よかった。

半年くらい前に、お父さんの仕事がどうかしたらしく、先月からお母さんも外で働くようになっていた。二人とも、帰ってくるのはずいぶんと遅くなってからだ。二人のうちどちらかがマンションの玄関を入ってくる頃、妹は大抵、二段ベッドの下の段でもう眠っている。僕は、眠ってしまっているときもあったけれど、起きていることのほうが多かった。もう寝なさいと言われたくて、なるべく起きている。

僕たちが河原に出かけていることを、お父さんやお母さんは知らない。話せば叱られるだろうから、僕は絶対に喋《しゃべ》らなかったし、妹にも口止めしていた。捕ってきた虫たちは、玄関に置いてある大きな虫かごに移して飼っている。新しいやつを入れるたび、いつも同じくらいの死骸を取り出していたので、全体的な数にはあまり変化がなかった。虫が死ぬ理由はよくわからないけれど、脚や触角がなくなっているやつが多かったので、たぶん共食いなのだろう。

「ただいま」

マンションのドアを開けると、先に帰っていた妹の智佳《ちか》が、リビングのテーブルで鋏を使っていた。慎重な動きで、ちょきちょきとピンク色の折り紙を切っている。真面目な顔つきでそれをつづけながら、智佳は目も上げずに「お帰り」と声を返した。

「暑いね、この家」

クーラーはあるけれど、うちではなるべく電源を入れないようにしていた。お父さんの仕事がどうかしてから、そういうことになった。

ランドセルを下ろすと、Tシャツの背中が少しだけ涼しくなってくれた。

「それ、イカ？」

「提灯だよ」

鋏を動かしながら言う。

「今日、学校で七夕の飾りをつくったんだけど、あたしだけ上手くできなかったから練習してるの。でも、何でだろ、やっぱり駄目。はじめの折り方が違うのかな」

眉を寄せ、智佳はカタンと鋏を置いた。ほとんど投げるようなやり方だった。その手で、頭の脇をごしごしとこする。

「もういいや、できない」

ピンク色の折り紙は、くしゃくしゃに丸められてゴミ箱へ放り込まれた。

「そっか。今日、七夕だ」

「お兄ちゃんたちのクラス、何もやらなかったの？　飾りつくったり」

「やらないよ。だから忘れてた」

「お母さんも忘れてるかな」

「どうだろ。憶えてても、忙しいから」

七夕の日はいつも、僕たちが学校から帰ると、お母さんが笹竹を用意して待っている。去年まではそうだった。僕や智佳に、折り紙を半分に切ってつくった短冊を渡し、お母さんはそれぞれの願い事を書かせる。ほんとのことを書きなさいと、毎年きまってお母さんは言った。出来上がった二枚の短冊を凧糸《たこいと》で笹の枝に結びつけるときは、とても嬉しそうだった。夜、ベッドで横になっていると、部屋の外で、お母さんがお父さんにその短冊のことを話しているのが聞こえてきた。お母さんの声にも、お父さんの声にも、笑いが滲《にじ》んでいた。

「智佳、今日、虫捕り行く？」

「行く」

冷蔵庫を開けて麦茶を取り出すと、真ん中の段に、丸い皿と四角い皿がそれぞれ二枚ずつ入っているのが見えた。晩ご飯は、煮物と焼き魚らしい。ひき割り納豆のパックもあった。

「お兄ちゃん、河原で笹竹とってこようよ」

「駄目だよ。出かけたのがばれちゃうだろ」

「昼間とったって言えばいいじゃん」

「笹竹はお母さんの係だから、僕たちはとらない」

「何で」

「何でもだよ」

僕たちはテーブルで向かい合って麦茶を飲んだ。テレビをつけたら、どこかの山奥で笹の花が咲いたというニュースをやっていた。テーブルに肘をつき、両手で顔を支えながら智佳がぼんやりとその映像を眺めて言った。

「花なんて咲くんだね」

「ね。三十年に一回だって」

「じゃあ三十年前にも咲いた？」

「知らないよ」

　僕はチャンネルを替えた。知らないドラマを眺めながら、智佳と二人してお腹が空くのを待った。

（二）

「網、網、落ちる」

　後ろを走る智佳が声を上げたので、僕はペダルを漕《こ》ぎながら振り返った。サドルと後輪のあいだに差し込んであった虫捕り網が傾いて、本当に落ちる寸前だった。片手でそれをなんとか直し、前に顔を戻すと、ライトの中に大きな何かが入り込んだ。僕は慌ててサドルからお尻を浮かせ、自転車を四十五度くらいまで傾けて夢中で避《よ》けた。

「智佳も避けて！」

「え」

　慌ててしまったらしく、智佳は急ブレーキをかけた。きいいいいいいと高い音が響き、がん、と硬い衝撃音がした。後輪をスリップさせながら自転車を停め、急いで振り返る

と、智佳が自転車ごと歩道の上に横倒しになるところだった。自転車はもう止まってい
て、スローモーションのような動きに見えた。
スタンドを下ろして駆け寄った。怪我はないようだ。スカートが捲れてパンツが見え
ている。歩道のすぐ脇を、トラックが大きな音を立てて通り過ぎた。
「何これ……」
自転車の下から片足を抜き出し、智佳は自分がぶつかったものを睨みつけた。
「何だろう。壊れたビルの、欠片《かけら》とかかな」
それは、僕の頭くらいの大きさの、三角形のコンクリート片だった。大きな硬い豆腐
の角をそいだみたいなかたちをしている。
「トラックが落としていったのかもね。タイヤ、大丈夫そう？」
前輪を確かめてみると、どうやらパンクはしていないようだったので、僕は智佳の自
転車を起こしてやった。智佳は掌《てのひら》をぱちぱちと叩き合わせ、お尻と膝もはたいた。そ
の顔が、走ってきた車のヘッドライトでパッと明るく照らされ、一瞬、別の人のように
見えた。
「危ないから、端っこに寄せとこう」
コンクリート片は重く、鼻の奥が熱くなるくらい力を入れないと動いてくれなかった。
途中から智佳も手を貸し、僕たちはようやく歩道の端まで移動させた。

もう、河原のすぐ近くだった。ほんの十メートルほど先から、僕たちの走ってきた道は、川を越える大きな橋に変わる。その橋を渡らずに、土手を下りていけば、いつもの場所だ。僕たちは欄干のそばまで移動し、自転車を並べて停めた。雲が出ていて、空には星も月も見えない。

「お兄ちゃん、今日は虫捕る?」

「捕ろっか」

智佳が先に斜面を下りていき、最後の一歩を両足をそろえて飛んだ。

「智佳、懐中電灯出して」

僕も斜面を下り、智佳に背中を向けた。智佳はリュックサックのファスナーを開け、懐中電灯を二本取り出した。それぞれにスイッチを入れ、僕たちは草むらに近づいていく。ゆるい風が尖った葉を揺らして、苦い土の匂いがした。試しに足で草を踏み分けてみると、さっそく黒いものが動いた。低く、つづけざまに飛び跳ねて草のあいだに消えていく。たぶんコオロギだ。まだ季節が早いせいか、あまり大きいやつではなかったので、僕はそれを無視してまた別の葉の束を踏み分けた。持ってきた虫捕り網は、草むらの手前に置いてある。考えてみれば、あれをここで使ったことは一度もない。僕たちの虫捕りはいつも素手だ。

「お兄ちゃん、エンマいるかな」

智佳は懐中電灯を構えながら、草むらにほっぺたを突き出すようにして聴き耳を立てていた。本格的な虫の季節ではないので、鳴き声は聞こえない。

「あれは、なかなかいないよ。いたら僕が捕ってやるけど。嚙むと痛いから」

別の葉を踏み倒す。何か細かく震えるものが、懐中電灯の光の外へと飛び出した。あっと思って目で追ってみたら、もうどこにも見えない。

「何かいた？」

「いた。でも逃げられた」

雲が動き、月が智佳の顔を照らした。少し風が吹き、あたりの葉がくすくすと笑うような音を立てた。

そのとき僕の胸に、急に哀しさが込み上げた。それは今日、学校から家に帰ってきて以来、ずっと無理して抑え込んでいた哀しさだった。

「あのさ、智佳――」

両手を身体の脇に垂らし、妹に向き直った。

「七夕の提灯、学校で、上手くつくれなかったんだよね」

「そう、つくれなかった」

それがどうかしたのかというような顔だった。

「誰か、友だちがやりかたを教えてくれなかったの？」

僕が、それまでどうしても口にできずにいた質問をすると、智佳の顔のどこかがぴくりと動いた。

「教えてくれたよ、アーちゃんとか。でもよくわかんなかった」

変に頰だけ持ち上げて笑うので、それが嘘だということはすぐにわかった。

智佳が学校で友だちと上手くやれていないことに、僕はだいぶ前から気づいていた。教室を覗いてみたわけではないし、本人がはっきりとそう言ったわけでもない。でもとにかく僕にはわかっていた。――叩かれたりしていないだろうか。靴がなくなったり、嫌な手紙をもらったり、教科書に載っている誰かの写真に鼻血や角を描かれてはいないだろうか。僕は訊きたかった。でも逆に妹に怒られるのではないかという気がして、どうしても訊けないでいた。

智佳の目がすっと右を向いた。顔がその動きを追いかけて、表情がぱっと明るくなった。

「お兄ちゃん、向こうの二人、来てるよ」

「え、嘘」

僕も対岸に目を向けた。墨汁を流したような、暗い川の向こう――土手の手前に、ぽつんと小さな光が見える。ちらちらと瞬きながら、微かに動いている。本当だ、来ている。胸の底がほっと温かくなった。

「気づくかな」

懐中電灯を頭の上に持ち上げ、左右に振ってみると、対岸の光は同じような動きを返してきた。智佳が僕に笑いかける。

「向こうの二人、何か捕まえたと思う？」

「どうだろ。エンマとか、捕まえたかもね」

向こうの二人、と僕たちは呼んでいた。対岸で、同じように懐中電灯を持ち、同じように虫を捕っている二人組。ちょうど僕たちと同じ年頃の、小学生の兄妹《きょうだい》。——でもそれは単に僕たちの想像で、実際には会ったこともない。夜に塗りつぶされた川の向こう側に、いつも懐中電灯の光がぽつんと見えるだけだ。最初にその光に気づき、さっきみたいな合図を送ってみたのは智佳だった。相手は合図を返した。自分と同じキーホルダーをつけた相手を見つけたときのように、僕たちは少し恥ずかしくて、嬉しかった。僕と智佳は、どちらからともなく、対岸にいるのは自分たちと似た二人なのだと言い合うようになった。僕のように、背が低くて下を向いたお兄さんと、智佳みたいに、膨らんだような笑顔の妹。対岸に光を見つけるたび、僕たちは合図を送った。相手は必ず合図を返してくれた。

川の向こうの懐中電灯は、それからしばらくゆらゆらと動いていたが、やがてふっと消えた。

「帰っちゃうのかな」

背伸びをした智佳のシャツは、ずっとしゃがんでいたせいで皺《しわ》ができて、お腹にプリントされた猫が折れるように歪《ゆが》んでいた。

足音に気づいたのは、そのときのことだ。

黒い塊が、草の中を近づいてくる。それは、長い髪をして、顔の下半分が黒い髭《ひげ》で覆われた男の人だった。智佳が身体を硬くして僕に身を寄せ、僕も智佳のほうへ少し動いた。

男の人は、ひどく臭かった。

「こんなとこで、なに捕ってんだあ?」

一言一言、言葉の最後を上げるような口調だ。ゆっくりとしたその声に合わせて、黒い髭がもじゃもじゃと動いた。僕たちが顎に力を入れて黙っていると、男の人はぺらぺらに薄い、穴のあるシャツの肩を揺らして笑った。

「びっくりしたかあ? そりゃびっくりするわなあ。虫ぃ探してたら、こぉんなおじちゃんが出てきたんだからなあ」

笑い声まで訛《なま》っていた。おじさんは案山子《かかし》のような薄い胸の前で、細い腕を組み、空を見上げた。

「ほんとはなあ、七夕には虫を送らにゃいかんのだぞ。捕ってる場合じゃねえのだぞ」

僕たちに顔を戻し、にんまりと目を細める。怖い人でないとわかって安心したのか、智佳の身体からすっと力が抜けた。僕も、臭《にお》いと緊張で止めていた息をようやく吐いた。

「虫、捕っちゃ駄目だったんですか？」

訊くと、おじさんは蠅《はえ》でも追っ払うようにぶんぶん手を振った。掌も指も、黒くて汚かった。

「いけなかねえよお、いけなかねえ。たぁだな、俺なんかの田舎じゃよ、七夕ってえと、まぁず虫送りをやってたもんでよ」

「虫送り……」

ただ呟いただけだったのだけど、おじさんはよくぞ訊いてくれたというような顔になって、変な節をつけた言葉を口にした。

　とおれ　とおれ
　稲の虫やとおれ

「――ってな、言いながらよ、村ん中をみんなして歩き回んのよ。そんで田んぼで、稲の葉っぱを食う虫を追っ払うんだ。それが虫送りよ。虫送りをやんねえと、米が痩せっちまう。葉っぱを食われっと、米はちゃんと育たねえんだ」

智佳と目を合わせ、知らなかったねという顔をすると、おじさんはにんにくのようなかたちの鼻に皺を寄せて声を低くした。

「しっかし、おめえらヘッタクソだなあ、虫ぃ捕まえんの」

何が捕りたいのかとおじさんが訊くので、僕はエンマコオロギと答えた。

「ああ……ありゃな、コツがいるんだ。エンマコオロギってのは、追い込まねえと駄目なんだ」

「追い込むんですか？」

意味がわからなかったので訊き返すと、そうよ、とおじさんは顎を上げる。それから草むらを見渡して、意外なことを質問した。

「何匹ぐれえ欲しいんだ？」

何匹だなんて考えたことはなかったので、僕は「できるだけ」と答えた。おじさんはがばりと口を開けて笑う。

「欲があんなあ、若《わけ》えのに。虫かごに入りきんなくなっても知んねえぞ。まぁだ秋まで間があっから、そんなにでっかく育っちゃいねえけど、そんでもほれ、塵《ちり》も積もれば山となるっちゅうかんね」

いくらなんでも、コオロギが虫かごに入りきらないわけがない。そう思いながらも僕は、手に持った虫かごの大きさをいちおう横目で確認してみた。やっぱり無理だ。

「んじゃやってみっか」

　おじさんは言う。

「ばばばばあっと、いっぺんに集まってくっかんな。おめえ、虫かごの蓋《ふた》は開けとけよ。で、口は閉じとくんだぞ。コオロギが飛び込んじまったら、そりゃ毒じゃねえけども、やっぱし気持ち悪《わり》いかんな」

「口……」

　少し怖くなってきた。でもまさか本当のはずがない。大袈裟《おおげさ》に言っているだけだ。

「おめえんとこに追い込むぞ。場所はそこでいいか？　いいな？　じゃ、お嬢ちゃん、追い込み方を教えてやる。あれ、まだ手が小せえな。上手くできっかな」

　首をひねりひねり、おじさんは智佳といっしょに離れていった。

「お嬢ちゃん、拍手は得意か？　拍手ってわかるよな。偉い人なんかに向かって、よくやるだろうよ。手をほれ……」

　おじさんの声はだんだんと遠のいていき、闇に紛れて消えた。暗がりのどこかで、ぱん、ぱん、と手を打ち合わせる音がした。少し経って、また聞こえた。僕は草むらにしゃがみ込んで、言われたとおり虫かごの蓋を外した。

　――虫かごに入りきんなくなっても知んねえぞ。

　嘘に決まってる。

──ばばばばあっと、いっぺんに集まってくっかんな。

機械を使うわけじゃないんだ。人間が二人でやるんだ。どんな方法かは知らないけれど、そんなに大量のエンマコオロギがここに向かって一斉に集まってくるなんて、考えられない。わかってはいた。わかってはいたのに、草むらにしゃがみ込んだ僕のお尻は冷たくなっていった。虫かごを持つ手にだんだんと力が入り、自分の耳にはっきりと聞こえるほど鼻息が荒くなっている。なかなかはじまらない。何の物音もしない。さっきのおじさんの話しぶりから、僕が待っていたのは、二人の手拍子が聞こえてくる瞬間だった。でもそれらしいものはまったく聞こえてこない。胸の内側で、とくとくと心臓が速まる。いきなりはじまるんじゃないか。はっきりとした予感が、急に身体中に広がっていった。いきなり大量のエンマコオロギが自分に向かってくるんじゃないか。

怖さが募り、思わず立ち上がった。月にまた雲がかかって、あたりは真っ暗になっている。なんだか息が苦しい。あたりの空気が、どろどろした黒い油のように見える。おじさんはいない。智佳もいない。二人で消えた。どこかへ消えた。

「……智佳」

呼んでみたけれど、返事はない。

「……智佳？」

かたちのぼやけた不安が胸を覆った。

草を踏んで一歩進む。周囲に視線をめぐらせる。もう一歩進む。そしてもう一歩。知らないうちに足の動きは速くなり、気づけば僕は走り出していた。ちゃんと走っているのに、腰から下が綿にでもなったように、両足の感覚がない。智佳の名前を繰り返しながら草むらを抜け出す。懐中電灯をがたがた鳴らし、二人が消えた方向へと小走りに向かう。いない。智佳がいない。コンクリートの橋脚の脇を過ぎると、景色がひらけた。砂利の地面。背の低い雑草。誰もいない。こちらには来なかったのだろうか。いや、来たはずだ。振り返って背後を見た。そのときどこかで、硬い音がした。何かがぶつかり合うような音。どこだろう。僕はぴたりと足を止めたまま、周囲を見渡す。草むら。地面。土手。橋脚。——橋脚。

そちらに懐中電灯を向ける。丸い光がコンクリートの表面を横に撫でた。何もない。裏側に回り込んでみた。テント。廃材とレジャーシートでつくった四角いテントが、橋脚に張りつくようにして建っている。僕は懐中電灯を構えてテントに近づいていった。正面に、垂れ幕のような入り口がある。それに手をかけて横へずらすと、

「……おめえ、待っとれって言ったろうがやあ」

懐中電灯の丸い光に、おじさんの顔が浮かび上がった。笑っているように、怒っているように、その顔は歪んでいた。テントの中で、おじさんは地面に敷いたシートに両膝をついていた。その正面に智佳が立っている。両目を大きくして、僕のことを見ている。

「いまなあ、追い込み方ぁ教えてたんだ。おめえ、もうちょっと待っとれ、さっきの場所で」

おじさんと智佳の影が、後ろのレジャーシートに大きく映っていた。

「待っとれって」

シートの皺のせいで、その影は、毛むくじゃらの二匹の動物に見えた。

「……帰ろう」

僕の声は震えていた。智佳は、両目を見ひらいたまま小さくうなずいた。そして、ゆっくりと足を踏み出し、大きな犬のそばを通り抜けるようにして僕のほうへ近づいてきた。

「どぉこ行くんだ、まだ教えてねえだろうがやあ」

智佳が手を伸ばす。僕はその手を握る。ひどく冷たかった。

「帰ろう」

おじさんに背中を向け、僕たちはテントを離れた。背後で小さく舌打ちが聞こえた。

僕たちの歩調は変わらなかった。一歩一歩を、試すように、確かめるようにして進んだ。足の感覚がない。懐中電灯を点《つ》けるよう、僕は智佳に言った。足下を二つの光で照らしながら、僕たちは虫捕り網を置いた場所まで戻った。手をつないだままそれを拾い、並んで土手を上る。斜面を上りきったとき、僕は一度だけ振り返った。おじさんがついてきているようなことはなかった。

無言のまま、橋の脇に停めておいた自転車まで歩き、サドルの後ろに虫捕り網を差し込んだ。手が少し震えていた。

「大丈夫だった?」

何を確認したかったのか、自分でもよくわからない。智佳は小さくうなずいた。僕は自転車にまたがった。でも智佳は、いつまでも自転車を押したまま、乗ろうとしなかった。僕は自転車から降り、ハンドルを支えながら智佳がそばまでやってくるのを待った。智佳の手が、掻くような、撫でるような動きで、スカートごしに両足の付け根に触れた。

「智佳?」

声をかけると、それまでうつむき加減でいた智佳が、咽喉から飛び出しそうな何かを抑えつけるように、もっとうつむいた。街灯に照らされた頬には涙があった。僕にそれを見つけられたことを知ると、もう我慢ができなくなったのか、う、う、と声を洩らして泣きはじめた。止めたはずの蛇口から水が漏れるような、静かな泣きかただった。小さな背中が震えていた。それを堪えようとして、背中はもっと大きく震えた。無意識のうちに、僕はその場に両膝をついていた。智佳のスカートをそっと捲ってみると、白いパンツの、下の縁《へり》に、垢《あか》のような、土のような黒い痕《あと》があった。あのおじさんの汚い手を、僕は思い出した。頭の中がぼんやりしていた。それなのに、鼻の奥で何かが膨らんで、膨らんで、爆発しそうになっているのがわかった。何年か前、智佳のために柿を取ってやったときのことが、どうしてか急に思い出された。智佳は空き家の塀の上から突き出した柿の枝を指さして、欲しいと言うかわりに、その指を口に咥《くわ》えていつまでも柿の実を見上げていた。僕は自分の背丈の倍もある塀に上り、柿の実を取ってやった。柿は渋柿だった。智佳は一口囓って泣き出した。

立ち上がり、何歩か歩いた。顔を下に向けると、智佳といっしょに歩道の端へ寄せたあのコンクリート片があった。屈み込み、それに両手をかけ、息を止めて手前に引っ張った。コンクリート片は少し動いた。もう一度引っ張ると、また少し動いた。そのとき街灯の光が、ふっと暗くなった。智佳がすぐそばに立っていた。僕が顔を上げずにいると、智佳は僕の隣にしゃがみ込み、両手でコンクリート片を摑んだ。そして僕と同じ方向へ引っ張りはじめた。僕たちとコンクリート片は、橋の欄干沿いに、少しずつ、少しずつ移動していった。

あのテントの真上で、僕たちはいっしょにコンクリート片を持ち上げた。どうしてそんな力が出るのか不思議だった。互いに何の合図もなしに、僕たちはそれを自分たちの足下へ向かって投げ下ろした。手を離す瞬間、手前側に引っ張るようにして、コンクリート片の落ちる方向を調節した。橋の下は、暗くて何も見えなかった。ばく、という重たい音だけが聞こえてきた。

（三）

翌日から、僕たちは普段どおり学校へ行き、普段どおり家に帰り、普段どおり電子レンジで晩ご飯を温めて食べた。もう、二人して河原へ行くことはなかった。あの夜の話をすることも。でもそれは、一週間後の夕方、リビングでニュース番組を見るまでのことだった。

「お兄ちゃん——」

「しっ」

人差し指を唇にあてて、僕はテレビ画面を睨みつけた。

映っていたのは、あの場所だった。昼間に撮られた映像のようで、四角いテントは中の様子まではっきりと見える。手鍋。ラジカセ。カセットコンロ。あの夜、智佳が立たされていた青いレジャーシート。『被害者の名前は現在調査中』『被害者の命を奪ったのは大きなコンクリート片』『そのコンクリート片は橋の欄干から投げ落とされた可能性がある』。

そして、ニュースは別のものに変わった。

「死んだ……」

僕はテレビに向かって呟いていた。

「あの人、死んだ」

智佳は何も言わなかった。椅子に座り、背筋をぴんと伸ばし、テーブルの天板を見つめてじっとしていた。

あのおじさんは死んだ。

「僕たちが殺した……」

捕まるだろうか。警察がやってくるだろうか。いや、大丈夫だ。誰も見ていなかった。コンクリート片を投げ下ろす直前、僕はあたりを確認した。ちょうど、橋の上の車の行き来は途切れていた。歩いている人もいなかった。河原にも、あのおじさん以外には誰もいなかった。

——いや。

「向こうの二人……」

僕がそう口にした瞬間、智佳がものすごい速さで顔を上げた。

「見てたかも」

橋の上は明るい。向こう岸からでも、ある程度ははっきりと見えただろう。どんな人が、何をしているのか。

「でも、大丈夫。だってあの夜は、僕たちが虫捕りをはじめてすぐに、向こう岸の懐中電灯が見えなくなったもん。向こうの二人は帰ったんだ。だから見てなかった。ぜったい見てなかった。見ないで帰った」

自分に言い聞かせるように、僕は同じような言葉を繰り返した。ところが繰り返しても繰り返しても、安心なんてできなかった。逆に、言葉をつづけるほど、冷たい不安がドライアイスの煙のように胸の底を這い広がっていった。

「お兄ちゃん――」

智佳が椅子から腰を浮かせた。

ほとんど同時に、僕も立ち上がった。

「確認しよう。確かめてみればいいんだ」

（四）

三日待った。警察の人が、まだ河原にいるかもしれないと考えたからだ。そしてあの虫捕りから十日後の夜、僕たちはあの河原へと向かった。ただし、いつもの手前側ではなく、向こう岸へ。

「いると思う？」

「わからない」

「もしいたら、何て訊くの?」

「ぜんぶ僕にまかせて」

暗い夜道にペダルを漕ぎ、河原を目指しながら、僕たちは早口で会話を交わした。向こうの二人は、はたして河原にいるだろうか。運よく今日も虫捕りに来てくれているだろうか。あの二人。僕たちと同じくらいの兄妹。

いや、本当はもう、そんなことは考えていなかった。〝向こうの二人〟は、兄妹じゃないかもしれない。二人組でもなければ小学生でもないかもしれない。懐中電灯の光しか見ていない僕たちに、そんなことがわかるはずがない。

橋を渡りきり、向こう岸に到着した。周りの景色はいつもの土手とほとんど変わりがない。自転車を並べて停め、斜面を下りた。ちょうどそのタイミングで、下から誰かが近づいてきた。誰だろう、黒い輪廓しか見えない。前屈みになって、面倒くさそうな動きで斜面を上り、僕たちのほうへやってくる。すぐそばまで近づかれたとき、相手が片手に懐中電灯を持っていることがわかった。スイッチは入っていない。ついで全身がぼんやりと見えた。痩せて眼鏡をかけた、中学生くらいの男の人だ。僕たちのことを、蠅のような目つきでじろりと見やり、その人は静かに通り過ぎていった。僕は前に向き直り、先へ行きかけて――。

その足をぴたりと止めた。

智佳に顔を向ける。智佳も僕を見ていた。僕たちは同じことを考えていた。

いまのがそうだったんじゃないか。

いまのが〝向こうの二人〟だったんじゃないか。

振り返ったときにはもう、相手は土手を上りきっていた。半袖のワイシャツの背中が、ゆっくりと斜面の縁に消えていく。

「お兄ちゃん、訊かないと」

智佳にズボンの脇を摑まれた。そう、あの人に訊かなければいけない。何も知らないふりをして。

——向こう岸の事件のこと、知ってますか?

つくり笑いをして。

——その夜、何か見たりしませんでしたか?

でも、無理だ。僕にはできない。あの人は怖い。気味が悪かった。何を考えているのかわからない感じだった。

僕たちは固く口を閉じたまま、男の人が消えた土手を、ただじっと見上げていた。追いかけて呼び止めなければいけないのに。

「今日はやけに賑やかだなあ」

いきなり、背後で声がした。

「きみたちも虫捕りかい?」

どかどかと心臓が暴れはじめるのを意識しながら、振り向いて相手の顔を見た。笑いながら僕たちを見下ろしていたのは、白いワイシャツにグレーのズボンを穿《は》いた男の人だった。お父さんよりも少し年下くらいだろうか。痩せていて、背が高く、髪を真ん中で分けている。警察かもしれない。

「この河原は、夏になると子供がよく虫捕りに来るんだよ」

温度のある声だった。

「きみたちもそうなんだろう? 懐中電灯なんか持って」

僕は答えなかったけれど、智佳がうなずいてしまった。いけない。もしこの人が警察の人だったら、あのおじさんを殺した誰かを捜しているところかもしれない。川の向こう側で、橋の上からコンクリート片を投げ落とした誰かを。どこまで警察が知っているのか、僕たちにはわからない。あれからニュースで続報はやっていない。一度、あのおじさんの名前が田沢《たざわ》なんとかだということを伝えていただけだ。だからいまは何も正直に答えないほうがいい。

「たまにです」

僕は素早く口をひらいた。

「虫捕りには、ほんのたまに来るんです」

「いつもどのへんで捕ってるの？　あっち側？」

そう訊かれ、僕はきっぱりと首を横に振った。

「こっち側です。あっち側には、僕たちまだ行ったことありません」

「そっか、こっち側か」

唇を尖らせてうなずき、おじさんは腰の両脇に手をあてる。そのまましばらく何か考えていたかと思うと、あ、と急に眉を上げた。

「もしかしてきみたち、よくそこの草むらで虫捕りしてる子？」

おじさんが示したのは、いつも〝向こうの二人〟がいたあたりだった。対岸から、あの懐中電灯の光が見えていた場所だ。ちょうど僕たちが虫捕りをしていたのと同じような草むらが、そこにはある。僕はとっさにうなずいた。

「そうです、あのへんでたまにやってます」

なりすまそうと思った。〝向こうの二人〟に。

「そっかそっか、じゃあ、時々あそこでがさがさやってたのは、きみたちだったのか。よく懐中電灯の光を見かけるんだよね」

僕の作戦は成功した。

それにしても、このおじさんは警察の人ではないのだろうか。どうして僕がそう思ったのかというと、懐中電灯の光を「よく見る」ということは、あの出来事が起きる前から、ここへ来ていたということだからだ。

「いやじつはね、さっき、中学生くらいの子が懐中電灯を持ってやってきたから、彼がそうだったのかと思って、訊いてみようとしたんだ。でも、近づいたら逃げられちゃってさ」

おじさんは膝に両手をあてて屈み込み、僕たちと目線を合わせた。

「でもきみたち、ここには、なるべくもう来ないほうがいいよ。この前ほら、怖い事件があったから。僕も警察に散々質問されたよ。——あの事件のことは、きみたちも知ってるだろう？」

僕は返事をしなかった。智佳も今度はうっかり答えることはなく、黙っておじさんを見上げていた。

「僕の友だちが殺されちゃったんだ。川の向こう側で」

「友だち……」

そう友だち、とおじさんはうなずく。

「同じホームレス仲間の、ターさんって人。田沢だからターさん。あっちの橋脚の脇にテントをつくって、そこで暮らしていたんだ。僕はこっちだから、ちょうど反対側だね」

「え」

僕は思わず相手の全身を見直した。

「僕がホームレスだってことにびっくりしたの？　そうだよ、僕は立派なホームレス。この河原での生活はターさんよりも長いくらいだよ。なんだきみ、すごく正直な顔するんだね」

おじさんは明るく笑い、「子供って怖いなあ」と頭の脇を掻いた。

たしかによく見ると、シャツは襟や脇が黄ばんでいるし、ズボンの裾は擦《す》り切れているし、革靴も爪先に罅《ひび》が入っている。そして、あの死んだおじさんほどではないけれど、臭いも少しあった。

「ねえ、きみたち。よかったらちょっと教えてくれないかな」

思い出したように、おじさんは真面目な顔になる。

「ターさんが死んだ夜、きみたち、たしかここへ来ていたよね。草むらで、虫捕りしていただろう？」

「はい」

そう答えるしかなかった。あの夜はたしかに、こちら側に懐中電灯の光が見えていたから。

「何か見なかったかな？　何でもいいんだ。あの夜、気づいたことはなかったかい？　たとえばほら、向こう岸に、誰か変な人がうろついていたとか、橋の上に誰かが立っていたとか」

尖った咽喉仏をごくりと動かし、声を低くしておじさんはつづける。

「ターさんが殺されたことが、僕はすごく悔しくてね。死んだのがホームレスだからなのか知らないけど、警察はずいぶんのんびりしているようだし……なんとか自分の力で犯人を捕まえることができればと思ってさ」

僕は首を横に振った。

「何も見てません」

「そっか……」

おじさんは残念そうに肩を落とす。その肩越しに、橋が見えた。車のライトが行き交っている。僕たちがコンクリート片を投げ落としたあの場所は、どれくらいはっきりと見えるだろう。目を凝らしてみた。——ずいぶんと遠い。けれど、その気になって注意して見れば、橋の上で誰が何をしているか、わからないことはないと思った。もしあのとき、じっとあそこを眺めている人がいたとしたら、その人は、二人の子供が何かを河原に向かって投げ落としたことくらいはわかっただろう。でも大丈夫だ。顔まではわからない。どんなに目がよくたって、顔を見分けることまでは無理だ。二人の子供だということまでわかったとしても、それが僕たちだとはきっとわからない。

僕は智佳に顔を向け、心配いらないよと目で伝えた。智佳はそっと顎を引いてうなずいた。犯人が僕たちだということは誰も知らない。警察も、それほど一生懸命に犯人を捜してはいないらしい。もう大丈夫だ。これからもずっと大丈夫だ。

すぐそばで、何かゼンマイの回るような、小さな音が聞こえていた。これ以上あのときの話をされるのが怖かったので、僕は音が聞こえてくるあたりを見て、興味を持ったふりをした。

「オケラだね。草の中で鳴いているんだ」

おじさんが言う。口調がさっきまでとずいぶん変わっていて、嬉しそうだった。

「この鳴き声、昔はミミズだって言われていたんだよ。ミミズの鳴き声なんだって」

「そうなんですか」

「ミミズが、土の中で歌っていると思われていたんだ。だから昔の日本人は、ミミズのことをウタメって呼んでいた。歌に女って書いて、歌女。でもよく調べてみたら、オケラが翅《はね》を擦り合わせていただけだったというわけ。勘違いって、可笑しいよね」

にっこりと、おじさんは笑う。その顔は、お父さんがプロ野球の話をしているときの顔に似ていた。もっと話したい、もっともっと喋りたいというあの顔だ。

「きみたちも、虫が好きなんだろう？」

「あ、はいけっこう」

「だったら、これからたくさん勉強してみるといいよ。虫にはものすごくたくさんの種類がいて、勉強しても勉強しても、まだまだわからない不思議なことがいくらでもあるからね。本当にきりがない。きりがないことほど、勉強して面白いものはない」

本当に面白そうに、おじさんは話した。心配事が解決していたせいもあり、僕はなんだかおじさんが昔からよく知っている親戚のように思えてきた。

「おじさんは、虫のことを勉強したんですか?」

「したよ、学生時代にね。その頃は昆虫学者になるのが夢だった」

「ならなかったんですか?」

学者というものに会ったことがなかったので、僕はそう訊き返した。おじさんくらい虫のことが好きで、学者になりたいと思っていたのなら、どうしてならなかったのだろうと単純に思ったのだ。

「途中から、ライバルがあまりにいっぱいいることに気づいて、怖くなっちゃったんだ。それでやめた。こんなに大勢の人間が、同じ目標に向かっているんだから、自分なんかには無理なんじゃないかって思ってね。普通の会社で働く道を選んだほうがいいんじゃないかって。だからけっきょく、そうしたよ」

おじさんは軽く息をついた。

「それが失敗だったんだよね。会社員になって何年も経つうちに、いろいろとあって、いまはこんな河原で暮らしてる。これから昆虫学者を目指そうなんて思っても、もう無理だ。——でもきみたちなら、まだまだ時間はたくさんあるよ。学者にだって、何にだってなれる」

そんなことを言われたのは初めてだった。具体的に将来の夢や目標があるわけではなかったけれど、それでも嬉しかった。

「夢は、できるだけ大きなほうがいい」

おじさんの言葉に、僕と智佳はそれぞれうなずいた。そのあいだも、オケラは相変わらず草の下で鳴きつづけていた。

「こっちに来てごらん」

そう言って、おじさんは急に土手の上を歩きはじめる。あの夜のことを思うと、僕は少し怖かったけれど、おじさんがどうやら明るい道路のほうに向かっているようだったので、ついていくことにした。智佳も僕の隣を歩いた。

おじさんが立ち止まったのは、あの橋のとっつきだった。欄干に片手をのせ、街灯を見上げる。黒いポールの先端で、植木鉢のようなかたちのライトが明るく光り、そのライトに、親指の先くらいの虫がこつこつと頭をぶつけていた。カナブンだろうか。

「虫って、いつもああやってライトに頭をぶつけているけど、どうしてだか知ってる？」

街灯を見上げたまま、おじさんが訊いた。

「光に向かって飛んでいくからですか?」

僕が答えた。

「半分正解」

おじさんは僕たちに向き直り、腰を落とす。

「半分っていうのはね、つまりこういうこと。虫は、たしかに光の位置を頼りに飛んでいるんだ。月とか、星とか、明け方の太陽とかね。でも、必ずしも光に向かって飛んでいるわけじゃないんだよ。月や星が、いつも自分から見て同じ方向にあるように飛ぶんだ。そうすればほら、真っ直ぐに飛べるだろう?」

「あ……はい」

なんとか理解はできた。たしかに僕たちも、たとえば右手に月を見ながら歩いていけば、真っ直ぐに進むことになる。自分が歩けば月もついてくるからだ。もちろん何時間も歩きつづければ、少しくらい曲がってしまうのだろうけど。——僕がそのことを智佳に説明しているあいだ、おじさんはときどきうなずきながらいっしょに聞いていた。それからまた、授業を進める先生みたいな口調で言う。

「でも、人間がこういった街灯みたいな小さな光をつくるようになったもんだから、虫たちは困ったことになったんだ。何が困ったか、わかるかな?」

少し考えはしたけれど、けっきょく僕たちは揃《そろ》って首を横に振った。

「光を自分から見て同じ方向に保とうとするとき、その光が大きなものならいい。真っ直ぐに飛んでいけるからね。でも光が小さかったら、そうはならない。小さな光をいつも同じ方向に保とうとすると、虫は、その光を中心にぐるぐる回ってしまうことになる。そしてその輪はだんだんと縮まっていく。やがてはこうして、小さな光に頭をぶつけつづけることになるんだ。あたりが明るくなって、この光が消えてくれるまでね」

なるほど、と思った。

「それで、あのカナブンも頭をぶつけてるんですか？」

僕がライトのほうを指さすと、おじさんは優しく目を細めてそちらに顔を向けた。

「そう。だから、夢は大きなほうがいいんだ」

そのまま、しばらく黙っていた。

「大きければ大きいほど、真っ直ぐに飛べる」

おじさんが呟いた言葉の意味を、僕はしっかりと理解できたわけではない。それでもその言葉が、自分の胸にゆっくりと広がっていくのを感じていた。

「もう一度言うけど、ここへはもう来ないほうがいいよ」

そっと、おじさんは僕たちを振り返った。

「まだ、警察が姿を見せることがあるからね。それに、例の事件に興味を持った野次馬なんかも来るようになった。さっきも、中学生くらいの男の子が来ていたから、追っ払ったところなんだ。はじめは虫捕りに来たなんて嘘をついていたけど、すぐに正直に話してくれたよ。どうも彼は、ニュースで事件のことを知って、興味本位で見に来たらしい。事件が起きたのが、川のどっち側だかわからなかったから、とりあえずこっちを覗いてみたんだって」

え、と思った。

あの中学生は、〝向こうの二人〟じゃなかったのか。まったく関係ない人だったのか。

それにしても、おじさんはさっき、たしかあの中学生とは話をしていないと言っていたような気がする。話しかけようとしたら逃げられてしまったと。

お願いをするように、おじさんは僕たちを真っ直ぐに見つめた。

「きみたちは、まだ子供だ。長い長い将来がある。僕は警察でも正義の味方でもないから、偉そうなことは言えない。言えないけど——」

少し迷ってから、おじさんは言葉を継いだ。

「黙っていることはできる」

いったい何のことを言っているのだろう。

おじさんは身体を起こし、川の向こうに視線を伸ばす。

「いまから話すのは、きみたちとは関係のないことだから、気軽に聞いてくれるかい？さっきのほら、虫の話とおんなじような感じで」

そう前置きをしてから、おじさんは語りはじめた。

「去年の夏に、ターさんが小さな女の子に悪戯《いたずら》をしたことがあったんだ。夜、河原で花火をしていた女の子たちにね。小学四年生くらいの、三人組だったらしい」

昔話でもするような口ぶりだった。

「あの人はそのことを、僕に自慢げに話していたよ。自分が女の子たちに対してやったことを。僕はもちろんあの人を責めた。あの人は怒って、僕をひどく殴った。本当に、立てなくなるくらいに殴られた。——ほんとはそのとき、僕は別の場所に引っ越そうと思ったんだ。テントをばらしてね。でも、できなかった。この場所が好きだったし、それに、ターさんがまた小さな子供に悪戯をするんじゃないかって、心配で」

いったん深く息を吸い、ゆっくりと吐き出してからつづける。

「先月あたりから、夜になると、向こう岸の草むらに、時々懐中電灯の光が二つ見えるようになった。二人の子供たちが遊びに来ていたんだ。橋のそばは街灯で明るいから、そこに二人が自転車を停めるとき、ここからぼんやりと彼らの姿が見えた。男の子と、女の子だった。僕はすごく心配したよ。ターさんがまたおかしなことをしやしないかって」

おじさんは眉を寄せ、何度か瞬きをした。

「本当なら、僕がターさんに注意すべきだった。もしくは、警察に一声かけるべきだったんだ。でも僕にはそれができなかった。怖くてね。またターさんに殴られたり、蹴られたりするのが怖くて。――だから僕は、遠回しにターさんの悪戯を止めてやろうと思った。二人の子供たちが向こうの河原にいるあいだ、こっち側でずっと懐中電灯を点けていることを考えたんだ。つまり、ターさんに警告するつもりでね。僕が見張っているぞって」

すっと胸の底が冷たくなった。

「こっち側で、懐中電灯の合図に応えていたのは、僕だったんだよ」

とても辛そうな目をしながら、おじさんはそう言った。

「ところがあの夜は、運の悪いことに、懐中電灯の電池が切れちゃってね。買い置きもなくて、どうしようもなかった。僕は仕方なく、この土手に座って向こう岸をじっと見ていた。二つの懐中電灯の光を。そのうち、二つの光が急に一つだけになったもんだから、不安になった。女の子のほうが、もしかしてターさんに連れていかれたんじゃないかって。こっち側の懐中電灯が消えたことで、僕がいなくなったと思って、ターさんがまた悪戯をしようとしているんじゃないかって。――しばらく迷ったけど、僕は立ち上がって、橋のほうへ急いだ。向こう岸まで走ろうとしたんだ。でもその途中で、また二つの懐中電灯がいっしょになるのが見えた。だから、僕は安心して、またこっちに引き返してきた」

言葉を切り、おじさんは僕たちを見た。その表情から、僕か智佳が何か言うまで、口をひらかないつもりでいることがわかった。

「引き返して……それからどうしたんですか？」

咽喉から声を押し出すようにして、やっとのことで訊いた。

「向こう岸を、ずっと見ていた。二人の子供たちが、土手を上って、自分たちの自転車を取りに行くところも。それから、二人で屈み込んで、あの――」

言いかけてやめ、おじさんはしばらく何かを思うように下を向いていた。やがて、短く息を吐いてつづける。

「川の向こうのことだから、僕は二人の子供たちの顔を知らない。さっき、きみたちがやってきたとき、もしかしたらとは思ったよ。あのときの二人なんじゃないかって。でも、確信したわけじゃなかった」

大きなトラックがすぐそばを走り抜け、おじさんの言葉は途切れた。

僕の両足は細かく震えていた。どうしてわかってしまったのだろう。どうしてばれてしまったのだろう。おじさんは僕たちがあの事件の犯人だということを知っている。いつ知ったのか。いつ知られたのか。

「僕が確信したのは、きみが嘘をついたときだよ」

「嘘……」

「いつもこっち側で懐中電灯の光が動いていたのを、きみは自分たちだったと言ったよね。虫捕りに来ていた自分たちだったんだって。あれほどわかりやすい嘘はなかった」

たしかにそうだ。あれが僕たちだったはずがない。あれはおじさんだったのだから。

肩が震えはじめた。指先も。歯も。目線をそらすことができない。声が咽喉の中でふくれ上がり、いまにも口を割って飛び出そうとしている。僕は失敗をした。僕のせいでばれてしまった。捕まるだろうか。僕たちは警察に。

「さっき言ったように、僕には誰かを裁く権利なんてない。だから誰にも話すつもりはない。ただね――」

おじさんは視線を下げた。

「一つだけ知っておいてもらいたいんだ」

努力して、おじさんが僕たちのことを見ないようにしているのがわかった。そうしながら、でも、これまでで一番力のこもった言葉を、おじさんは口にした。一語一語、はっきりと。まるで自分自身の声を、自分自身の歯で噛み締めるようにして。

「死んでいい人間なんて、この世にいないいんだよ」

それが、最後だった。

おじさんは僕たちに背を向けると、草を踏み、静かに土手を下りていった。痩せたその姿が暗がりに紛れ、やがてぼんやりとした輪廓が橋脚の陰に消えるまで、僕たちはその場に立ったまま動けなかった。すぐ脇をワゴン車が走り抜け、あたりの空気が震えた。頭の上ではカナブンが街灯に頭をぶつけている。こつこつと、同じことを繰り返している。僕たちの目の前を、白い蝶がゆっくりと横切って川辺の暗がりへと飛んでいった。真っ暗な場所に、白い色がしばらくちらちらと動いていたかと思うと、やがて溶けるようにして消えた。

帰り道、自転車を押して歩きながら、はじめに智佳が泣き出した。自転車のハンドルを支えているせいで、両手を動かすことができず、智佳は顎の先からぽたぽたと涙を垂らして泣いた。智佳に何か言おうとして口をひらいたら、声は出てこなくて、そのかわりに僕の両目からも涙が溢れた。僕たちは二人で泣いた。家は遠かった。いつまで経っても涙は止まらなかった。

第三章　冬の蝶

（一）

風が出てきたらしく、材木の骨組みに張られたレジャーシートの隙間から土手の草いきれが入り込んできた。

長いこと顔を覆っていた両手を下ろし、暗いテントの天井を仰ぎ見る。それまで聞こえていた虫の声が、風に怯えたように途絶えている。夏の夜だというのに、顔に受ける隙間風が冷たいのは、頬を濡らした涙のせいだった。

虚しさと哀しさが、胸の底に爪を立てて這い回っていた。二つの感情は秒を刻むごとに増殖し、私はふたたび両手で顔を覆ってシートの上にうずくまった。

自分の犯した罪を忘れたくて、私は二人にあんな話をした。

はじめから、そんな目的を持っていたわけではない。二人に声をかけたのは、確認のためだった。あの夜、自分の行為を目撃していた者がいなかったかどうかを、私は確認したかったのだ。しかし、話しているうちに、彼らが向こう岸の河原にコンクリート片を投げ落とした二人だということを知った。

知ってしまった。

その瞬間から、もう自分を止めることができなかった。彼らに向かって曖昧な言葉をつづけながら、私は彼らの幼い手に罪を押しつけることばかりを考えていた。

何を思って、あの兄妹はいま夜道を歩いているだろう。一人のホームレスを殺してしまったことを嘆いているだろうか。見知らぬ男に言われた言葉を、小さな胸の中で、必死に咀嚼《そしやく》しているのだろうか。

強く閉じた瞼《まぶた》の裏に、十日前の光景が映った。土手を上っていく子供たち。自転車を押して立ち去りかけ、彼らはふと歩道に屈み込んだ。それから、何か大きなものを協力し合って持ち上げ、橋の欄干から投げ落とした。彼らが立ち去ったあと、橋を渡って対岸へと向かうと、田沢のテントのそばに、大きなコンクリート片が落ちていた。

足音に気づいたのか、テントの中から田沢が顔を覗かせた。そのときの田沢の、卑屈に歪んだ表情を見て、私はすべてを理解した。この河原で、何が起きたのかを。——またやったのだ。この男はまた幼い女の子を汚した。一年前の出来事が、瞬時に脳裏によみがえった。自分の悪戯を自慢げに語っていた田沢の顔。それを責め立てた私に対して振るわれた理不尽な暴力。抵抗できなかった自分自身。

「危ねえんだぁ」

テントから首を突き出した田沢は、いつもどおりの間延びした声で言った。

「これがいま、いきなり上から落っこってきてよお」

田沢はそのコンクリート片を、あの兄妹が投げ落としたものと考えてはいないようだった。トラックの積んでいた瓦礫《がれき》の一つが、どうかしてテントのそばに落ちてきたとでも思っていたのかもしれない。――いずれにしても、そんなことはどうでもよかった。重要なのは、そこにコンクリート片があること。そして、私にこの機会を逃す気がないということだけだった。

興味深げなふりをして、私は地面のコンクリート片を両手で拾い上げた。それを持ってテントに近づいていったときも、頭の上に高々と掲げたときも、田沢はただ口をだらしなく開け、これから起こることを予想もしていないような顔で私を見ていた。脂で髪が固まった頭頂部に、コンクリート片が振り下ろされた瞬間、田沢は短い声を上げた。

いつか、田沢が故郷の話をしたことがある。田沢の暮らしていた町では、七夕の夜、害虫を追い払う祭りを行っていたらしい。ぴくぴくと痙攣する田沢の四肢を見下ろしながら、私はそのとき聞いた「虫送り」という言葉を思っていた。

視界の端に、小さな違和感がある。

顔を上げると、暗いレジャーシートの内側で、何かがうっすらと炯《ひか》っている。

四つんばいになり、そっと顔を近づけてみた。

それは白く、小さく、微かに蠢《うごめ》いていた。

蝶だ。一匹の白い蝶が、テントの内側で翅を休めている。手を伸ばすと、蝶はふわりと翅を動かし、その翅の先で私の指を空気のように撫で、ひらひらとテントの中を飛び回りはじめた。頼りない、子供の落書きのような白い軌跡は、やがて隙間風に煽《あお》られて不意に横へぶれ――しかし一瞬後には、また逆方向へと素早く動き、レジャーシートの隙間を抜けて細長い夜の中に消えていった。

サチ――。

全身が、その名前で満たされた。

蝶の消えた先を見つめながら、私はボストンバッグを引き寄せた。錆《さ》びついたファスナーを開け、あのブローチを取り出す。蝶のブローチ。すっかり黒ずんでしまった銀色の翅を広げ、いまにも飛び立とうとしている。私がサチからこれを受け取ったのは、もう二十年以上前の、寒い冬だった。あの夜、彼女の横顔はパトカーの赤色灯の中で赤く明滅していた。暗い空は雪の気配を孕《はら》んでいた。私の口の中には、まだ血の味が残り、舌に、自分のものではない、温かくぬめった違和感がとどまっていた。

あれから、彼女は飛び立ったのだろうか。

いま、どこかで飛ぶことができているのだろうか。

（二）

「虫なんて、捕ってどうするの？」

話しかけられたのは、夕暮れの河原だった。空の橙色を髪に映し、サチは無表情にこちらを見ていた。背後に人が近づいていたことにまったく気づいていなかった私は、左手にビニール袋、右手に虫捕り網を持ったまま身体ごと振り返った。

相手が私の通う学校の制服を着ていることを、まず見て取った。つぎに、彼女が自分と同じクラスの女子生徒だということに気がついた。サチと同じ教室で過ごすようになって、その頃はもう半年近くが経っていたはずだから、この順序は少々不自然な気もするが、あれから何度思い出してみても、やはり間違いではないのだ。

中学二年の、夏の終わりだった。当時、私は東京と埼玉の境に暮らし、家族も、もちろん住む家もあった。勉強は図抜けてできるほうではないが、成績が悪いわけでもなく、家は金持ちではないが、かといって貧しくもない。そんなぬるま湯のような生活の中で、あくびを噛み殺し、しかし敢《あ》えてそこから飛び出そうともせずに十代の日々を送っていた。

「べつに、暇だから」

それがサチに向かって口にした初めての言葉だった。

嘘が、最初だったのだ。

当時の私には、昆虫学者になるという夢があった。そのころ私は、ほぼ毎日の放課後、虫捕り網とビニール袋を携えて山や河原へ出かけていた。私が使っていた五畳の部屋には虫籠が二十もあった。共働きの両親が帰ってくるまで、古畳の上に腹ばいになってそれらを覗き、図鑑と見比べ、見たことのない変わった動きを発見すると、大学ノートに絵入りのメモをつくった。キボシカミキリ、カワゲラ、オトシブミ。あのころ部屋で育てていた虫たちの名前は、いまでもすべて諳《そら》んじることができる。

昆虫学者になるというその夢を、誰かに話したことは一度もなかった。昆虫採集という趣味が、友人たちがやっているスポーツや悪さに比べ、いかにも湿ったイメージを持っていることを知っていたし、そもそも大人になったときの自分の姿を語るには、中学二年生は幼すぎ、育ちすぎていた。

左手に提げたビニール袋の中で、捕まえたばかりのハラビロカマキリがかさこそと動いた。

「暇つぶしなの？」

同じクラスの彼女のことを、それまで私は上背のある人なのかと思っていた。しかし、秋の草を踏み分けてサチがすぐそばまで近づいてきたとき、それが間違いだったと気がついた。身長は私の鼻のあたりまでしかない。ただ、とても姿勢がいいのだ。セーラー服の背すじを真っ直ぐに伸ばし、それとひとつづきの流れで、細い首がすんなりと立ち上がっている。首筋は紙のように白くて、暮れかけた景色の中でうっすらと発光しているように見えた。そして首の脇――セーラー服の襟元が、微かに汚れて黒ずんでいた。

「毎日、暇つぶししてるんだ？」

そう言われ、内心で舌打ちした。彼女が私の姿を見ていたのは今日だけではなかったらしい。胸の中で適当な言葉を探っていると、サチは川面のほうへ視線を伸ばして言った。

「私ここ、放課後によく来るの。あなた、このところ毎日来てたでしょ」

サチは私を「あなた」と呼んだ。最後までそうだった。

「三日前から、ずっと来てたでしょ」

サチの言葉は正しかった。三日前、虫を捕るのに適当な場所を探しながら川沿いを歩いていたら、河原の草の上を綺麗な藍色が横切るのを見た。それは間違いなく、一度間近でじっくり見てみたいと思っていたチョウトンボだった。そのときはけっきょく捕り逃がしてしまったが、同じ場所に来ればまた見つかるのではないかと考え、せっせとこの河原へ通っていたのだ。

虫捕り網片手に河原をうろついていたのを、思いがけず見られていたきまり悪さに、私はわざとぶっきらぼうに言った。

「そっちこそ、こんなとこで何してんの」

サチはしばらくのあいだ何も言わず、暮れ色の深まる空に目を向けていた。

「家に帰るまで、いつもここにいるの」

答えになっていなかった。しかしその抑揚の単調さと、墨色に沈んだ目に、何か胸を揺らすものがあった。

そのとき不意に、川のほうから強い風が吹いた。片手で目を守りながら顔をそむけると、サチの髪が風に嬲《なぶ》られ、冗談のように逆立っているのが見えた。——サチは顔をしかめてはいなかった。そのことに、私は小さな驚きをおぼえた。普通、女の子がそうするように、眉根を寄せて嫌な顔をしてはいなかった。彼女は突然の強い風に髪を持ち上げられ、滅茶苦茶に掻き乱されながら、目を細めて笑っていた。もしあのとき彼女が顔をしかめていたら、もしほんの少し眉をひそめでもしていたら、私はあれほどサチに惹《ひ》かれただろうか。彼女の姿を期待して、翌日も同じ場所へ足を向けていただろうか。

「ここ、たまにすごい風が吹くよね」

乱れた髪の毛がようやくセーラー服の肩に下りると、サチはまだ笑いの滲んでいる顔をこちらに向けた。つい先ほどまで見せていた、どこか冷たい横顔のせいだったのだろうか、その目は余計に穏やかに映った。

サチはスカートのポケットに手を入れ、そこから古い腕時計を取り出した。男物のようだ。月並みな四角い文字盤は全体的に黒ずみ、革のバンドはところどころが擦れて褪《たい》色《しょく》している。ちらりと針を読むと、彼女はすぐにそれをポケットに戻した。

「じゃあね」

セーラー服の後ろ姿が草の上を遠ざかり、土手を上って見えなくなった。一日日は、ただそれだけのやりとりだった。しばらく彼女の消えた方向に目を向けていると、ビニール袋の中で、またハラビロカマキリが動いた。

翌朝の教室で、サチと目が合った。ちょっと笑いかけられたので、こちらも笑い返そうとしたら、彼女はすぐに視線をそらして自分の席に着いた。そして、それからは一度も私を見ようとしなかった。隙間に小銭を落としてしまったような、中途半端な悔しさを感じながら、私はその日の授業を受けた。

彼女の綺麗に伸びた背すじは、授業中、つねに視界の中で目立っていた。どうしていままでそれが教室の風景に溶け込むことができていたのだろうと、不思議なほどだった。

休み時間、友人たちにそれとなくサチのことを訊いてみた。詳しく知っている者はいなかったが、彼らが彼女の名前を口にするとき、その語調に相手への嘲《あざけ》りがこもっているのがわかった。彼らの話の中には、「汚い」とか「貧乏」という言葉が必ず出てきた。

それがサチというクラスメイトの最大の特徴であると、誰もが考えているようだった。

「親父が消えたらしい」

友人の一人が、そんなことを言った。

「女つくって、出ていったんだって」

放課後、私はまた虫捕り網とビニール袋を持って家を出た。

あの河原に、サチは立っていた。私の顔を見ると、朝と同じように、痩せた頰を持ち上げて微笑《わら》った。しかし今度は、私が目の前に近づいていくまで視線をそらすことはなかった。

（三）

父親は一年ほど前にいなくなったのだと、サチは話してくれた。

「時計を家に置いてったから、私がもらったの」

そう言って彼女がスカートのポケットから取り出したのは、あの古い腕時計だった。

「腕時計欲しかったから、ちょうどよかったんだ」

去年の誕生日に母親から買ってもらい、デザインが子供っぽいからというだけで巻くのをやめた腕時計のことを、私は思った。

「今日は、虫は捕まえないの？」

足先に転がしたままの虫捕り網に視線を移し、サチが訊いた。私たちは土手の草の上に並んで座っていた。

私は曖昧に首を振った。

「もう家にたくさんいるから」

思えば、その年の冬が来て、虫たちが河原から姿を消すまで、けっきょく虫捕り網が使われることは一度もなかった。

家で飼っている虫の話を聞かせてくれとサチが言うので、話してやった。暗い奴だと思われるのが心配で、はじめはあまり気乗りしなかったのだが、喋っているうちにだんだんと興に乗ってきて、気づけば手真似を交えて夢中で話していた。オトシブミがどんなに上手に葉を巻いていくか。トラフカミキリの見た目が驚くほどスズメバチに似ていること。その理由。カンタンの鳴き声の美しさ。手を叩いて驚かせてやると、その虫たちは一斉に鳴くのをやめるが、しかし最後におまけのように「ルルル」とつけ加えること。サチはうつむきがちに、黙って話を聞き、わかりにくいところがあると、目を上げて小さく首をかしげた。しかし私が言葉を多くして説明を繰り返すと、納得した顔を見せ、また視線を下げて話に耳を傾けた。

「将来、昆虫の研究をしようと思ってる」

そのことを誰かに向かって口にしたのは初めてだった。腹の底に、うずくような嬉しさがあった。

「昆虫学者になって、いままで誰も知らなかった虫を捕まえたい」

青臭い興奮はサチにも伝わったようで、彼女はしきりにうなずいて、それだけいろんなことを知っていれば絶対になれると言ってくれた。サチの言い方にはてらいがなく、私はなんだかその言葉によって自分の将来が保証されたような気がした。

サチがスカートのポケットからあの腕時計を出して文字盤を見た。

「帰るね」

彼女が素早く立ち上がったので、私も思わずつられて腰を浮かせた。

「何か、用事？」

訊くと、サチは一度うなずきかけたが、すぐに首を横に振った。

「帰らないと」

言葉の一部を、川からの風が吹き飛ばした。

「お母さん……られちゃうんだ」

母親に怒られると、彼女は言ったのだろうか。しかし、まだ六時にもなっていない。サチの母親はそんなに厳しい人なのか。それを訊ねる前に、サチは私に薄く笑いかけて一歩後退した。

「虫の話、聞かせてくれてありがと」

彼女が踵《きびす》を返したとき、鼻先に髪の匂いが流れてきた。それは洗髪剤や整髪料の香りではなく、汗と埃《ほこり》が混じり合ったような、サチのやわらかな体臭だった。

翌日も、週が明けた月曜日も、私は河原へ行った。サチは必ず同じ場所にいて、土手の草の上に並んで座ってくれた。彼女はあまり口の賑やかなほうではなく、私の話をうつむきがちに聞いてくれているという時間が多かった。それでも陰気な印象がまったくなかったのは、綺麗に伸ばされたあの背すじのせいだったのかもしれない。一度、私の顔に近寄ってきた蚊をサチが払ったとき、半袖のセーラー服の袖口から彼女の白い腋を見た。貝の中身を覗いてしまったような、小さな動揺が胸の底をざわつかせ、私はすぐに視線をそらした。

サチが生まれたのは、東北の海沿いの町だったらしい。

「でも、その町のこと憶えてないの。まだ赤ちゃんのとき、お父さんとお母さんに連れられて、こっちに来たらしいんだけど」

「親戚の家に、行ったりはしないの？」

「出てくるとき、お父さんがすごい喧嘩したんだって、親戚の人たちと。それで、帰れなくなっちゃったみたい」

母親のほうにはもともと身寄りがないのだと、サチは寂しそうに言い添えた。

「だから私とお母さん、お盆もお正月も、ずっと家にいるんだ」

彼女はスカートの膝を抱き寄せて川面を見ていた。シオカラトンボが何匹かやってきて、尾の先で水面を叩き、またどこかへ飛んでいった。

翌週も、その翌週も、河原でサチと会った。約束していたわけではない。むしろ、約束めいた言葉を口にしてしまったら、この関係が壊れてしまうのではないかという気がしていた。やがて涼しさが増し、虫の姿はいつしか土手から消えていたが、私は虫捕り網とビニール袋を持っていくことをやめなかった。それが、幼い頭で考えた「約束をしないという約束」のアピールだった。使われもしない虫捕り網とビニール袋に、サチは土手にいるあいだ一度も視線を向けなかったが、あれは彼女の無言の返答だったのだろうか。

私が買っていった甘い缶コーヒーを、分け合って何度か飲んだ。最初にそれをやったとき、空き缶を真ん中にしばらく二人して黙しがちになってしまったが、私が思い出した上級生の噂話《うわさばなし》を披露したら、サチは胸を震わせて笑った。それをきっかけにいつもより会話が弾み、最後には互いに何か言うたび、肩をすれすれまで近づけて笑い声をぶつけ合っていた。

アキアカネの群れを、サチは小さな顎を上げて眺めた。夕暮れどき、見る見る雲の色が変わっていく様子に私たちは感心した。ある教師の歩き方を私が真似してみせると、彼女は身体を折るようにして笑った。

（四）

秋が深まった。

その日、私は初めて虫捕り網とビニール袋を持たずに河原へ行った。

「学校から、直接来たの？」

通学鞄を脇に置き、土手に座っていた私を見て、サチは意外そうな顔をした。

「だってもう、虫がいないから」

用意していた台詞《せりふ》を口にすると、彼女は少し遅れて小さくうなずき、私と並んで冷たい草の上に座った。横顔にはわずかな笑みが浮かんでいて、それはどこか共犯者めいた悪戯っぽいものだった。彼女の笑みを見た瞬間、胸にあった気恥ずかしさが消えた。もう、ここへ虫捕り網やビニール袋を持ってくるのはやめようと思った。

ところが翌日の放課後、私が河原へ行ってみると、サチの姿はなかった。

しばらく待ったが、現れない。夕暮れの近づいてきた土手をぶらぶらと歩いていたら、視界の隅にセーラー服の色が一瞬映り、すぐに消えた。橋の下――橋脚の陰に、誰かが隠れたのだ。そこへ近づいていくとき、私は知らず足音を消していた。橋脚の向こう側に立っていたのは、やはりサチだった。急に現れた私を見ると、彼女はわずかに咽喉もとを緊張させ、それから目を伏せた。

どうしていつもの場所に来なかったのかと、私は訊いた。

「日が、短くなったでしょ」

彼女は目を合わせずに答えた。

「時計が見えにくくなってきたから」

たしかに橋の下なら、街灯の光が周囲をぼんやりと照らしてくれているので、腕時計の文字盤も読み取りやすい。しかし彼女の言葉に素直にうなずけるはずもなかった。

「じゃあ、今度からはここで会えばいいんじゃない?」

声に、意図的な針を忍ばせて言った。熟《う》れすぎた果物を、力任せに握ろうとしているような残酷な気持ちが腹の底にあった。

そのときのサチが抱えていた思いを、当時の私には理解することなどできなかったのだ。理解しようもなかった。サチが私と会うことをやめようとしていたことは確かだ。しかし彼女は、いつもの場所からそう遠くない橋の下にいた。私と会うのが嫌だったのならば、そんなところにいなくてもよかったはずだ。私の近くにいなくてもよかったはずだ。秋の河原で、私の頭は疑問符で満たされていた。

サチは返事をしなかった。唇を緩く結んだまま、ただじっと顔をうつむけていた。

十一月の風が、私たちの足下に汚れたビニール袋を運んできた。誰かが捨てていったのだろう、スーパーのロゴが印刷された、古そうなものだった。サチは膝を折り、痩せた両手でそれをつかまえた。がさがさと音をさせて、土のこびりついた袋を弄《もてあそ》んでいたかと思うと、彼女は急に顔を上げて私に真っ直ぐな視線を向けた。河原でいっしょに過ごすようになってから、サチがそんな目をしたのは初めてのことだった。

「いつか、誰も知らない虫を捕まえたいって言ってたでしょ」

唐突に言ってから、彼女は妙な言葉をつづけた。

「頑張れば、できるんだよ」

内心で首をひねった。頑張ればできる。それはそのとおりだ。言葉としてはべつにおかしくはない。私が奇妙に思ったのは、そのときの彼女の顔つきだった。当たり前のことを言うにしては、サチの目はひどく強かった。

「一生懸命頑張れば、この袋の中に世界中の虫を捕まえることだってできるんだよ」

「この袋に……？」

そう、とサチは私を正面から見てうなずいた。

「虫だけじゃないよ。世界を全部入れちゃうことだって、できるんだよ」

彼女はいったい何を言っているのだろう。

「いつか、何か困ったことがあったら、やり方を教えてあげる」

私が彼女の言葉の意味を理解することができたのは、それからひと月ほど経った寒い夜のことだ。しかし、わかったときには遅かった。もうすべて、手遅れだった。

「ほんとに、できるんだよ」

目を伏せ、ビニール袋を両手で握りしめるようにして、彼女は冷たい風の中に消えてしまいそうな声で言った。

「私、やってるから」

サチが手を放すと、ビニール袋はふたたび地際を移動しはじめた。途中、センダングサの葉に引っかかってカサカサと震えていたが、やがてくるりと反転してそこを離れ、遠くへ消えていった。

その夜、私は自室に寝そべってぼんやりと虫捕り用のビニール袋をいじくり回していた。サチの言葉を思い出し、机の上の地球儀をすっぽりと袋に入れてみようとしたが、袋に対して地球儀はやはり大きすぎ、ビニールの口が破けた。笑いもせず、溜息もつかず、私はその破れ目をいつまでも眺めていた。

翌日の放課後、橋の下に行ってみると、サチは橋脚にもたれ、微笑を浮かべて私を迎えた。昨日の出来事が嘘のようだった。私は敢えて話をむし返さず、いつもどおりの時間を彼女と過ごした。これまでと同じようにサチと会うことができれば、それで満足だった。

昼間、教室でも気づいていたことだが、その日の彼女はずいぶんと疲れた目をしていた。十分な睡眠をとらなかったことが遠目にもわかる顔だった。橋脚の脇に並んで立ち、その理由を訊ねてみたが、彼女は私の気のせいだと言い張った。そして誤魔化《ごまか》すように、どうでもいいことに話題を転じるのだった。いまにして思えば、あのとき彼女はきっと、ひと晩考えたのだろう。考えて、また私と会ってくれることを決めてくれたのだろう。

それからほぼ毎日、私たちは橋の下で放課後の時間を過ごした。サチは相変わらず、いっしょにいるあいだに何度かポケットの腕時計を取り出して時刻を確認し、六時少し前になると、草の斜面を上って家に帰っていった。

土手のススキが末枯《すが》れ、二人の吐く息が白くなっていくにつれて、橋脚にもたれて立つ私たちの距離は縮んでいった。本格的な冬がやってきて、川面が寒い色に染まった頃には、いつも互いの肩同士を触れ合わせているようになっていた。しかし視線を合わせることはかえって気恥ずかしく、私が顔を向けるとサチは目をそらし、彼女がこちらを向くと私は正面を見るという、おかしな状態だった。けれど、制服の布地を通して彼女の体温が伝わってきて、それだけで裸の全身を重ね合っているかのようで、私は下腹に幼い熱《ほめ》きをおぼえはじめていた。すぐ隣に立つサチは、太陽が沈むと、白い横顔だけが闇に浮き出して綺麗だった。東北へ行ったことはないが、寒い町に降る雪はサチに似合いそうだと、私は勝手に想像した。

前年に起きた毒入り菓子事件の犯人を、じつは知っているのだと私が話すと、サチは本気にした。それを冗談だと知ったとき、彼女は殴りかかるふりをして、そのとき初めて私たちはすぐそばで向き合った。引き込まれるように、私は顔を近づけていた。まだ笑みが残り、隙間から歯が覗いていた彼女の唇に、私は自分の唇を触れさせた。

その日から、私たちは別れ際に軽く唇を合わせるようになった。

それをサチが嫌がっているようには思えなかった。だから、唇を離したあと、彼女が決まって見せる哀しげな顔が、私には不思議だった。毎日、胸の底に不安が冷たくふくらんだ。その不安を消そうとして、翌日もまた唇を合わせた。

一度だけ、サチの歯のあいだに恐る恐る自分の舌を滑り込ませたことがある。舌の先が、彼女の舌のどこかに触れた瞬間、私は強く胸を押しのけられた。そのときも、唇を引き結んで私を見据える彼女の顔は哀しげだった。いままでで、一番哀しげだった。気持ちを訊ねることもできず、腹の下で目を覚ましている欲求を無視することもできず、私は青白く湿った思いを抱えて河原をあとにした。

その日から、橋脚にもたれて立つ私たちの距離は遠のいた。

別れ際に唇を合わせることもなくなった。

暮れも押し迫ったある日のこと、私は通学鞄に細長い小さな箱を忍ばせて河原に向かっていた。中身は新品の腕時計で、日曜日に駅前のデパートで買ったものだった。箱にはクリスマスギフト用の包装紙が巻かれ、緑色のリボンがかけられていた。それを受け取ったときのサチの顔を、私は前日の夜から何度も思い描いていた。私の想像の中で、彼女は顔を輝かせ、あるいはきょとんとしてこちらを見つめ、それから目に涙を浮かべて優しい言葉を口にし、自分から顔を近づけてきてくれた。これを渡して、サチとの距離をもう一度縮めるつもりだった。それができると、私は思っていた。彼女が心にどんなものを抱えているとしても、この腕時計がそれを消し去ってくれると身勝手に信じていた。

私の頭を小さな奸計《かんけい》がよぎったのは、土手の上を歩き、もう少しで橋が見えてくるという頃だった。

いつもの場所に、もし私がなかなか現れなかったら、サチはどう感じるだろう。

ふと、そんなことを考えたのだ。

まず、不思議に思うだろう。そしてつぎに、心配になるに違いない。もう私がサチに会うのをやめてしまったのではないかと不安になるかもしれない。そしてそんなサチの不安は、あとで私が渡す腕時計を、実際の何倍にも素敵なものに変えてくれるのではないだろうか。——青臭い、馬鹿げた策略だった。しかし、彼女の歯のあいだに舌を忍ばせ、胸を押しのけられたときの当惑が、まだ腹の底でくすぶっていた。小さな、しかし残酷な仕返しを、彼女にしてやりたかった。

やってみよう。そう思うとすぐに、私は土手から外れ、路地をうろついて時間をつぶしはじめた。それが取り返しのつかない出来事を引き起こすとも知らずに。金物屋の掛け時計をときおり覗き、時刻を確認した。四時半が過ぎた。五時に近づいた。——そろそろいい頃合いだろうと、私はふたたび土手に向かった。そのとき、残照に赤らんだ景色の端を、朱色のものが横切った。

見間違いかと思ったが、そうではなかった。

「キタテハ……」

自分の足音が、ふっと遠のいた。

ほとんどの蝶は、硬い蛹《さなぎ》になって冬を越す。しかしタテハチョウの類には成虫で越冬するものがいる。普段は風雨をしのげる場所でじっと翅を閉じているが、稀にこうして飛ぶこともあるのだ。知識として、そういったことが頭にありはしたが、実際に姿を目にするのは初めてだった。とくんと胸が鳴った。忘れかけていた虫への興味が、むくりと頭を起こした。

知らず、私の足はキタテハを追っていた。相手は暗がりを低空飛行しながら、誘うように、ときに逃げるようにして、私を路地の奥へ奥へと連れていった。キタテハが行き着いたのは、小さな工場の壁際に設置された、一台の煙草の自動販売機だった。並んだボタンの一つに、蝶は翅を休めた。いったんそこへとまってからは、二枚の翅をぴったりと閉じ、もう身じろぎもしなかった。凍えてしまったようなその姿を、煙草のパッケージを照らす光がぼんやりと浮き上がらせていた。枯れ葉に似た翅にそっと指を伸ばし、つまんで手前に引いてみたら、冬の蝶は何の抵抗も見せず、ボタンから脚を離した。まち針の頭のような、小さな丸い目でこちらを見返すその様子がひどく弱々しくて、私はなんだか申し訳ない気持ちになり、すぐにもとの場所に戻してやった。蝶はそこを動かなかった。

ふと周囲に目をやり、景色に憶えがないことに気がついた。蝶を追っているうちに、いつのまにか知らない場所へやってきていたらしい。すぐに、サチの顔が胸に浮かんだ。振り向いて暗い路地を見渡し、歩いてきた方向へと歩を進めてみたが、どこをどう曲がってこの場所に来たのかがわからない。乏しい街灯の光をたどりながら足を速め、白い息を吐き、当てずっぽうで角を選んでみたが、目の前に広がっているのはいつまでたっても見知らぬ景色だった。

ようやく道の先に土手が見えてきた頃には、けっこうな時間が経っていた。私はあの橋まで急いだ。しかし、たどり着いたときにはもう遅く、サチの姿はそこにはなかった。橋の上の街灯が、白く川面に揺れていた。自分の間抜けな失敗に、自分で腹を立てながら、私は通学鞄の中に入っている小箱を思った。今日、サチに渡すはずだった腕時計。

ゆうべから、それを受け取ったときの彼女の顔を何度も想像していた。

橋脚の脇に突っ立ったまま、私は迷った。サチは立ち去ったばかりかもしれない。まだそのあたりを歩いているかもしれない。

追いかけてみよう――そう決めて、橋脚を離れた。サチの家がある場所は知っている。学校の住所録と、家にあった地図を見比べて、もうずいぶん前に調べてあった。

人けのない路地に足を速めた。やがて行く手に、黙然とした粗末な借家の並びが現れ、そのうちの一軒に、ちょうどサチの真っ直ぐな背中が吸い込まれるようにして消えるのが見えた。わずかに遅かったのだ。声をかけそこねた私は舌打ちをして歩調を緩めた。

家に向かってのろのろと歩きながら、ふたたび迷った。呼び鈴を押そうか。中からは誰が出てくるだろう。サチだろうか。それとも母親が顔を出すかもしれない。もし母親が出てきたら、何と言おう。家にまでやってきた私を、サチは迷惑がりはしまいか。考えているうちに、心がくじけてきた。やはり腕時計は明日渡したほうがいいかもしれない。私の気持ちはだんだんとしぼんでいった。

近くの塀に寄りかかり、長いことサチの家の玄関を見ていた。遠くで犬が鳴いている。あたりは真っ暗で、サチの家の窓だけが黄色く光っている。隣家の玄関から腰の曲がった老婆が出てきて、眠っているような目で郵便受けを覗くと、何か呟いてまた家に戻っていった。どこかの家の窓から、弱々しい咳が聞こえた。

私は鞄から腕時計の箱を取り出した。大きく一つ息をつき、自分を奮い立たせた。大丈夫、きっとドアからはサチが出てくる。そして喜んでくれる。わざわざ家まで来たことを素直に嬉しがってくれる。もし母親が出てきても、べつに悪いことをしているわけではないのだ。サチを玄関口まで呼んでもらえばいい。それだけのことだ。

派手な包装紙に包まれた箱を片手に握り、私はサチの家へと近づいていった。化粧板の捲れ上がった玄関ドアの脇に、簡素な呼び鈴があり、恐る恐るそこへ向かって指を伸ばしたとき——。

微かな音を聞いた。

古い郵便受けの蝶《ちょう》番《つがい》が、たてつづけに鳴っているような、痩せた犬が苦しんでいるような。いや、音ではない、声だ。それは薄いドアの向こうから聞こえてくる、声なのだった。

何か、動物でも飼っているのだろうか。訝しみながらも、私は呼び鈴を押してみた。声はぴたりとやんだ。耳を澄ます。何も聞こえない。ふたたび呼び鈴を押してみる。やはりドアの向こうは静かなままだった。

不可解が胸を満たしていた。しかしその不可解の底から、嵩《かさ》を増していく水のように、曖昧な理解がだんだんと迫り上がってきていることに私は気づいていた。もう一度、指が呼び鈴に伸びかけたが、思い直して玄関を離れた。ブロック塀と家の外壁のあいだに細い通路がある。そこを進んでみた。明かりの漏れる窓。粗い磨《す》りガラスが嵌《はま》っていて、中は見えない。さらに先へ行くと、もう一つ窓があった。さっきの声がまた聞こえはじめたのは、私がその窓から中を覗き込んだのと、ほぼ同時だった。

肉付きのいい、男の背中が見えた。その向こうに、裸のサチがいた。布団に横たわり、男から顔をそむけるように横を向いた彼女の口から、声は洩れていた。はじめは別々に揺れていた二人の身体が、私の見ている前で、だんだんと一つの動きに変わっていった。そうなったことで、知識のない私にも、二人の行為が初めてのものでないことがわかった。歪んだサチの顔。彼女の頭の向こうで、破れた襖がわずかに隙間を開けていた。その隙間から一人の女の背中が見えた。畳に横座りになり、座卓の上に這いつくばるように上体をもたれさせ、枯れ枝のような片手はそこに置いてある日本酒の瓶に添えられていた。

どうやって話せばよかったというのだろう。

翌日からも、あの河原でサチと会った。しかし私は何も言えなかった。わき上がるすべての声は唇の手前で消え、そのたびに、胸に鋭い針が刺さっていった。二日が過ぎ、三日が過ぎ、一週間が過ぎた。澱《よど》んだ水の中を歩くような毎日だった。サチはそれまでと変わらない様子で私と会い、ときおりポケットの腕時計を覗き、そして六時前になると河原を去っていった。あの家に帰るために。真っ白な身体を押さえつけられるために。あれはサチが望んでしていることなのだろうか。蠢いていた背中は誰のものだったのか。襖の向こうにいた女——彼女はサチの母親なのだろうか。六時が近づくとサチは行ってしまう。顔を歪め、あの声を出すために帰ってしまう。そして私は白濁したような胸を抱えて取り残される。

「お父さんの時計、見せてくれる？」

橋脚の脇で私がそう言ったのは、ある夕刻のことだった。空には雨気《あまけ》を含んだ雲が重たく広がっていた。頭上から届く街灯の光に、白い頬を照らされながら、サチは不思議そうに一瞬唇を結んだが、すぐにスカートのポケットから腕時計を取り出して渡してくれた。針は五時二十一分を指していた。あの時刻を、私はいまでも忘れることができない。

「これ、ずいぶん古いね」

「お父さん、私が小さいときから使ってたみたい」

どうして私が急にその時計に興味を持ったのか、サチは気になるようだった。しばらく腕時計をいじってから、しかし私は何も言わずそれを彼女に返した。

そのまま時間が経った。私の口数はいつもよりずっと多かった。会話を途切れさせるのが怖かった。サチは目に微かな途惑《とまど》いを浮かべながらも私の話に付き合い、そのあいだに二度、ポケットから腕時計を取り出して、ちらりと文字盤を見た。気づいていない。このまま気づかなければいい。頭上をたくさんのエンジン音が通り過ぎていく。——サチが顔色を変えたのは、三度目に腕時計を取り出したときのことだった。彼女の掌の上で、文字盤の針は五時二十一分を指していた。

さっとこちらを向いたサチの顔は、色を失い、大きく見ひらかれた目はガラス玉のようだった。

「止めたんだ、俺が」

自分の耳にも聞こえないほどの声で、私は呟いた。

「竜頭《りゅうず》を引っぱって、さっき止めた」

帰したくなかった。どうしても嫌だった。事情を訊くことができないから、問いただすことができないから、せめて自分の力でサチをこの場所に引き留めておきたかった。ほんの短い時間でも力ずくで世界を止め、そこへ自分たちを閉じ込めたかった。きっと、時刻はもうとっくに六時を回っている。私は彼女に決まりを破らせた。しかし何の決まりだ。あんなことをするために、家路を急がなければならないというのか。サチは何も言わなかった。ただ刺すように私を見て、それから背中を向けて駆け出した。その姿が土手の斜面を上って消えるまで、私は息をすることができなかった。後悔、苛立ち——いや、そんな感情ではない。私の両足を冷たい地面に縛りつけ、呼吸を止めるほど強く胸に摑みかかっていたのは、どうしようもない哀しさだった。

（五）

翌日、私は河原へ行かなかった。最後の授業が終わると、サチの家に向かった。校門を出るとき、サチの後ろ姿があの河原のほうへと消えていくのが見えた。彼女は今日も、私と会うつもりなのだろうか。いつものように橋脚の脇に並んで立ち、とりとめもない話をしようとしているのか。それとも昨日のことを咎《とが》めるつもりなのだろうか。いずれにしても、私は彼女と顔を合わせる気はなかった。

考えたのだ。自分が何をすべきかを。

玄関の前に立つと、呼び鈴を押した。応答はなかった。もう一度押そうとしたら、ドアの内側でごそごそと音がして、目の前のドアノブが向こう側から回された。

半間四方の三和土《たたき》に、女が立っていた。

一目見て、すぐにわかった。それはあの日、サチと男が揺れていた部屋の隣で、座卓に向かって酒を飲んでいた女だった。もう一つ、わかったことがある。それは、彼女が間違いなくサチの母親だということだ。面立ちがとても似ている。サチから水分を抜き、不潔にし、その顔に怠惰や卑屈をなすりつけたような女だった。背中はサチのように真っ直ぐに伸びてはいない。そうすることがもっとも似合わない目つきと、唇の歪みを、彼女は持っていた。

私の姿を見て、女の目がすっと細められた。上下の瞼が動いたのではなく、上瞼だけが下ろされて、細められた。彼女は何も言わなかった。私が言葉を発するのを待っているのだった。余計なことは言いたくなかった。言わないつもりで来た。着ている制服を見れば、サチと同じ中学に通っていることはわかるだろう。そして自分に向けられた視線に気づきさえすれば、相手が何か攻撃的な意志を持ってやってきたことを知るだろう。

「僕は、見ました」

短く言葉を口にした。

「奥にある窓から見ました」

膝が小刻みに震えていた。自分の心臓の音が、ずくずくと耳の後ろに聞こえた。女は表情を動かさなかった。息から、身体全体から、酒がにおった。肉の薄い頬の一箇所に、赤黒いあざがある。視線を転じると、静脈の浮いた手の甲にもひどい擦り傷があった。どちらも古いものではない。

私ははっとした。

——帰らないと……。

ポケットの腕時計を見て、サチが言った言葉。

——お母さん……られちゃうんだ。

母親が殴られてしまうと、あのとき彼女は言ったのではないか。

昨日、サチの帰りは六時を過ぎた。そのことと、母親の怪我は関係があるのではないのか。

女の唇が、厭《いや》な音を立ててひらかれた。

「見たから何だ」

声も言葉も、男のもののようだった。彼女は私を澱んだ目で見据えてつづけた。

「見たから、どうした」

サチと似ているはずの顔が、そのとき一羽の鳥の顔に見えた。無感情な、しかし静かに狂った鳥だった。不意に、怒りの感情が咽喉を突き抜けて頭の中に充満した。眼球を後ろから熱いもので押されているような感覚に、私は身を震わせ、両手の拳《こぶし》を強く握った。

「あんなことは、やめさせてください」

言葉は返ってこなかった。

「あの人は誰ですか。どうしてあんな——」

相手の顔がひくりと動いた。その直後、いきなり上瞼が持ち上がり、顔全体に力がこもった。女はその顔を勢いよく私のすぐ鼻先まで近づけた。

眼球が、ぶるぶると細かく振動していた。

「若いのと、やりたいって言うから、やらせてるんだ」

色のない唇が、つぎに発する言葉を探しているように薄くひらかれていた。そこから酒臭い息が洩れ、私の顔を生温かく撫でた。全身が硬直し、動くことができなかった。グロテスクに歪んだ彼女の顔が、すぐ鼻先で静止していた。つぎの言葉を口にしたときだけ、彼女のひずんだ声に、わずかな感情が滲んだ。

「お前が、食わしてくれんのか？」

そして、彼女は素早く身を引くと、耳に刺さるような音を立ててドアを閉めた。

「男だよ、あたしの」

私は走った。冷たい冬の路地を蹴り、蹴り、蹴って、あの河原へと向かっていた。涙が流れた。涙は冬の風に冷やされてシャツの首もとへ染み込んだ。金のために、生活のために、サチは男に組み敷かれていたというのか。冬の蝶のようにじっと翅を閉じて揺れながら、苦しく声を上げていたというのか。

サチに会いたかった。会って、目の前で、大声を上げて叫びたかった。しかしいったい何を叫ぶというのか。自分の声が、行動が、何の役に立つというのか。それでも私は走った。周囲の建物が白く溶け消え、見えない景色の中にサチの声が響いた。痩せた犬の呼吸。錆びた蝶番の軋《きし》み。

　サチはそこに立っていた。いつもの場所で、鞄を両手で膝の前に提げ、寒い目で遠くを見ていた。足音に気づき、彼女が振り向くあいだにも、私は彼女のすぐそばまで駆け寄っていた。

「俺が、なんとかする」

　口をひらいた瞬間、意識することなく出てきたその言葉によって、私は自分がもう後へ退《ひ》けない場所へ踏み込んだことを意識した。しかし、退くことなどもともと考えていなかったのだ。前に進まなければいけない。何かをしなくてはいけない。なんとかする。自分が、なんとかする。——自ら発したその言葉は私の胸の中で膨れ上がり、瞬時にもっと具体的な、凶暴なものへとかたちを変え、咽喉をさかのぼって吐き出された。

「俺が、あの男を殺す」

　サチの目が大きく見開かれ、ひゅっと音を立てて唇の隙間から空気が吸い込まれた。私の言葉によって、いま彼女は、知られていたことを知ったのだ。

「殺して、サチを助ける。絶対に助ける。俺が——」

　それからどう言葉をつづけたのか、私は憶えていない。同じようなことをつづけざまに口にしていた印象だけが残っている。そして自分の言葉が、不意に彼女の咽喉から飛び出した声によって一瞬で掻き消されたことを、はっきりと憶えている。

「偉そうに言わないで」

それがサチの声だということが、すぐには理解できなかった。悲鳴のような、追いかけられ、ぎりぎりまで追い詰められた動物が振り向いて叫んだような鋭いその声は、私の胸の中心に突き刺さった。数秒、全身が無感覚に陥った。それから、頭と顔にしびれが走り、腹の底がゆっくりと冷たくなっていった。周囲の空気が消えたかのように、静寂が耳の中で反響していた。目の前に立つサチの蒼白な顔が、視界の中心でひどく鮮明に映り、しかしそれ以外は何も見えなかった。地面が微かに鳴り、同時に彼女の姿がわずかに遠ざかった。サチは真っ直ぐに私を見据えたまま後退していた。

「あなたが……食べさせてくれるの?」

サチの言葉は、あの母親のそれと同じだった。そのことが私をいっそう打ちのめした。張りつめていた神経の壁にひびが入り、そこから一気に感情が流れ込んできた。

「学校のお金とか、出してくれる?」

また、涙が溢れた。肋骨《ろっこつ》の内側で、心臓が痛いくらいに鼓動していた。血液が身体を駆けめぐるたび、私の手足は感覚を失っていった。私は何か言おうとして、言おうとして、しかし言葉が思いつかなかった。熱さも冷たさも感じられない右手を、サチの顔を見つめたまま鞄の中へと差し入れ、私はあの日から取り出されずにいた長方形の箱を握った。

「俺が助ける。絶対に助ける」

もはや何の意味も持たないそんな言葉を、私はふたたび口にした。そうしながら、クリスマスのラッピングがされた箱をサチへ差し出した。そのあいだずっと、彼女を視界の中心から動かさなかった。サチもまた私から目をそらさずに、手を伸ばし、箱を受け取った。夕焼けた空の色を映して、私を睨む目が真っ赤だった。

サチは箱を開けようとはしなかった。それを持ったまま、不意に両手で顔を隠して泣いた。震える指の隙間から、押し殺した嗚咽《おえつ》が間欠的に洩れ聞こえてきた。

（六）

サチが家にやって来たのは、その夜のことだ。

呼び鈴の音にドアを開けてみると、彼女はそこに立っていた。制服姿のままで、左の腕に、私の渡した腕時計を嵌《は》めていた。右手に紙袋を持っていて、それは古い、ひどく皺の寄った紙袋だった。コンセントをまとめるときに使うようなモールで、口がしっかりと縛ってある。

「袋が、破れたの」

視線が真っ直ぐにこちらを向いていなかった。何か極端に大きなものでも見ているように、彼女の目は焦点を結ばず、瞼は大きくひらかれているのに、虚ろだった。

「袋……」

途惑う私を無視し、サチはすぐそばまで近づいてきた。

「あなたのせいなの」

言っていることが、まったくわからなかった。

「あなたのせいで、破れたのよ」

すっと、サチが紙袋を突き出して、私のすぐ鼻の先で、口を縛ってあったモールを外した。漠然とした不安をおぼえながら、私は中を覗き見た。そこに入っていたのは、一枚の写真と、蝶のかたちをしたブローチだった。サチが紙袋を私の胸に押しつけた。写真に写っているのは三人の人物で、真ん中に立っているのは、いまよりも幼いサチ。彼女の右側にいるのはあの母親。反対側には見知らぬ痩せた男性。二人は左右からサチの笑顔を守るようにして立ち、彼ら自身もまた優しく微笑んでいた。

「お父さんと、お母さん」

サチの声に顔を上げた。

「私の十歳の誕生日に、二人がくれたブローチ。お母さんが選んで、お父さんが買ってくれたの」

何を言おうとしているのか。いったい何があったのか。袋が破れたというのはどういう意味なのだ。――もう一度、紙袋に目をやった。私のせいで破れたと、彼女は言った。しかし私はこんな袋を見たことはない。だいいちこの袋には、破れ目などどこにもない。

「それでも、破れてるの」

また、彼女は理解のできない言葉を聞かせた。つぎの瞬間、その顔が勢いよく近づいてきて、冷たい唇が、私の唇に押しつけられた。サチは私のシャツの布地を両手で摑み、自分のほうへと強い力で引き寄せた。歯のあいだから温かい舌が躍り込んできて、私の中を乱暴に動き回った。顔を押しつける力が強すぎて、どちらかの唇が切れた。血の味が唾液の味と混じり合い、私はサチの吐息を嗅ぎながら、むしろ恐怖に近い感覚にとらわれていた。

急に、私を突き放すようにしてサチが身を引いた。

「それ、あなたにあげるから」

両目には涙が溜まり、唇には血がついていた。彼女がその血を拭《ぬぐ》うと、白い手の甲が真っ赤に染まった。

「またね」

最後にそう言って、サチは背中を向けた。いつもと同じ、真っ直ぐな背中だった。ドアがゆっくりと動き、視線が断ち切られた。追いかけたかった。しかし、河原で聞いたサチの叫びが、あの鋭い悲鳴のような声が、私の足をその場に凍りつかせた。自分の怯懦《きょうだ》と闘いながら、私は玄関に立ちつくした。――先ほど自分が目にした、ある不自然な光景に思い至るまで。

「血……」

どうして気づかなかったのか。

サチの手についていた、あの血の量。

彼女の唇からは、それほど血は流れていなかった。手の甲を真っ赤にするほどの傷ではなかった。あれは――サチの手に付着していたのは、彼女の血ではない。

どこかからパトカーのサイレンが聞こえた。一台ではない。二台、三台、あるいはそれ以上。

私は玄関を飛び出して夜道を駆け出した。空は雪を溜め込んで重たげだった。冷たい夜の空気が肺を満たし、矩形《くけい》の窓明かりが視界の左右でがくがくと揺れた。サチの家の前に、パトカーは列をなして停まっていた。赤色灯が周囲の景色を断続的に照らし、まるでその一帯すべてが、追い詰められた一個の心臓となって鼓動しているようだった。

サチがいる。家の前に立っている。両腕を身体の脇に垂らし、背すじを真っ直ぐに伸ばして、制服警官と向き合っている。そのそばで、地面に這いつくばるようにして泣き叫んでいる女。サチの母親だった。警官が数人、玄関から中に躍り込んでいった。そのとき背後から新しいサイレンが近づいてきた。救急車が一台、私のすぐ脇を過ぎ、パトカーのそばで停車した。救急隊が口々に何か言いながら玄関を入っていく。彼らと警官のあいだに交わされた、短い、昂《たか》ぶった声の中に、私は「包丁」という単語を聞き取った。担架が家の中に持ち込まれ、やがてそれに乗せられて、シーツを被せられた大きな身体が運び出されてきた。動いてはいなかった。

赤色灯に照らされたサチの顔が、こちらを向いた。彼女は私を見て、一瞬両目を広げたが、その顔はすぐに行き交う警官と救急隊員の向こうに紛れて消えた。途切れ途切れに見えるサチは、もう私を見てはいなかった。彼女は警官の一人に連れられて、パトカーに乗り込んだ。その警官は周囲にいた別の警官と何かひと言ふた言、聞き取れない会話を交わし、運転席に身体を滑り込ませた。ほんの数秒のあいだに、パトカーは夜道を遠ざかっていった。角を曲がるとき、ウィンドウ越しにサチの白い横顔が一瞬見えた。それが最後だった。彼女の姿は永遠に私の視界から消え去った。

私の手には、サチに渡されたあの古い紙袋があった。

——世界を全部入れちゃうことだって、できるんだよ。

いまになって、私は気がついた。

——いつか、何か困ったことがあったら、やり方を教えてあげる。

あのときサチが河原で言った言葉。

——ほんとに、できるんだよ。

彼女は風の中に消えてしまいそうな声で呟いた。

──私、やってるから。

たくさんの人声と足音と、赤色灯の光の中で、私はサチの置いていった紙袋を呆然と見下ろした。袋は、裏表が逆さまになっていた。サチは紙袋を裏返し、その内側に、幸せだった頃の思い出を仕舞っていたのだ。いや違う、内側ではない。彼女にとって内側はこの世界のほうだった。世界のすべてを、現実のすべてを、自分自身さえも、サチは紙袋の中に閉じ込めた。袋を裏返し、口を固く縛りつけることで。

そして、閉じ込めた世界の外側にいるのは、幸せに笑っている自分だった。サチはいつでも、この無慈悲な世界の外側にいた。両親と並んで立ち、微笑んでいた。そうやって、彼女は生きていた。そうしなければ生きられなかった。

だが、その袋が破れた。私が破った。見えない破れ目から現実が流れ出し、その途方もなく冷酷な現実に立ち向かうため、彼女は冷たい刃物を握った。

──またね。

玄関を去り際、サチが聞かせた声が、私の全身に溢れ返っていた。河原で初めて言葉を交わしたときの彼女が見えた。強い風の中で浮かべていた笑顔が見えた。触れ合った肩の温かさを感じた。彼女の髪の香りを嗅いだ。サチは虫の話を一生懸命に聞いてくれた。アキアカネの群れを二人で並んで眺めた。私がやってみせた教師の物真似に、彼女は笑い転げた。

拳のような嗚咽が込み上げ、私はサチの紙袋を胸に抱いたまま地面に膝をついた。わからなかった。どうすることが正しかったのか。自分は何をすればよかったのか。何ができたというのか。周囲にいた数人の大人たちが私に目を向けた。やがて視線は曖昧に分散していき、彼らはそれとなく私から退いていった。歪《いびつ》な人の輪の中心で、私はいつまでも泣きつづけた。

（七）

暗いテントの中で、錆びた銀色の翅が微かに光っている。

レジャーシートの隙間から入り込んだ、月の光のせいだった。

サチのブローチを胸に抱き、私はレジャーシートの隙間に手を伸ばしてそこを塞《ふさ》いだ。それから周囲をじっと見回して、ほかに隙間が開いていないことを確認した。毎晩、そうしているように。

材木の上に張られたこのレジャーシートは、すべて裏表が逆さまになっている。それが、サチが教えてくれた、世界を閉じ込める方法だった。

閉じ込めた世界の外側で、私は身体を丸め、ブローチを抱いて目を閉じた。

第四章　春の蝶

（一）

「ほかに誰がいるっていうのよ」

ちょうどヒールに片足を入れたとき、聞き憶えのない女性の声がした。つづいて老人の声がぼそぼそと聞こえ、それに被せるようにしてまたヒステリックな声が響く。

「いいわよ、聞かれたって。聞かせたいくらいなんだから。あの人が――」

というところで女性の声は途切れた。わたしがドアを開けたからだ。

「ああ、お早うございます。どうもお騒がせしちゃって」

泣き笑いのような顔で、首を突き出すようにしてわたしに挨拶したのは、右隣の部屋に住む牧川《まきかわ》という老人だった。傍らに、寝間着らしいスウェットの上下を着た若い女性が立っている。あれは誰だろう。牧川は一人暮らしのはずだが。

彼らと向き合うようにして、二人の警官が立っていた。一人は初老で、帽子の下からのぞく鬢《びん》に白いものが交じっている。もう一人は、わたしよりも一回りは若いだろうか、まだ二十代半ばくらいに見えた。

「何かあったんですか?」

「いやその、まあねえ……」

牧川が言葉を濁し、そのまま数秒の沈黙があった。警官たちはちらりと視線を交わし、牧川は困り果てたように胡麻塩の無精髭が生えた頬をのろのろと撫でる。女性は顔を硬くして、じっと足下を睨みつけていた。

気になったが、もたもたしていると通勤のバスに間に合わない。適当な会釈をしてその場を離れた。外廊下の途中で軽く振り返ると、若い警官がこちらへ歩いてくるのが見えた。わたしに用があるのだろうか。追いかけるというふうではなく、変にのんびりとした足取りだった。立ち止まろうか、どうしようか。迷いながら路地に出たところで呼び止められた。

「すみません、ちょっとだけ。お急ぎですか?」

「ええ、まあ」

「じゃ、ほんとにちょっとだけ」

わたしが牧川の隣の部屋に住んでいることを確認してから、警官は訊いた。

「ゆうべのことなんですが、何か物音をお聞きになったようなことはなかったですか?」

「物音……どんな?」

無意識に首を回して牧川の部屋のほうを見た。牧川。女。初老の警官。——三人ともこちらに顔を向けている。いや、もう一人いた。玄関の内側に、クリーム色のパーカーを着た少女が立っている。まだ小学生になっていないくらいの子だった。

「どんな物音でもけっこうです。時間は、夜九時くらいから……まあ、朝までってことで」

若い警官は曖昧なことを言い、曖昧な笑顔を見せた。

昨夜は七時から十一時過ぎまでファミリーレストランで料理を運んでいた。工場の給料だけでは生活に不安があり、一年ほど前からその店でウェイトレスとして働いているのだ。

「——それで、帰ってきてからはすぐに寝てしまいましたから」

「そうですか、わかりました。ご協力ありがとうございます」

警官が軽く敬礼したそのとき、いきなり耳を刺すような声が聞こえてきた。

アパートの、向かって右端——ゴミ集積所で鴉《からす》が二羽、ポリ袋の中身を奪い合って騒いでいる。警官はぎょっとした様子でそちらを振り返り、牧川の部屋の前にいた面々も、気味悪げに集積所のほうへ首を伸ばした。が、ただ一人、パーカーを着た少女だけは、まだこちらを見ていた。じっとわたしに目を向けたまま、彼女は視線を動かそうともしなかった。

わたしはその子に、どこかで会ったことがある気がした。

それから四日経った夕刻のこと。

わたしは土手の上を歩いていた。晴れてさえいれば、工場からの帰路は一つ手前の停留所でバスを降り、川沿いの道をのんびり歩きながらアパートへ帰ることにしている。四月初めのいまは、土手から見える景色がいちばん綺麗な季節だ。草の斜面にタンポポがぽつぽつと顔を出し、遠い水面が橙色に照り映えている。風の緩やかさ。草の匂い。橋脚の一つにトラックが横づけされているが、あれは補修工事でもはじまるのだろうか。ヘルメットを被った作業員たちが、談笑しながら橋を見上げたり、橋脚のコンクリートを指の背で叩いたりしている。ちょっと前までそこにあったホームレスの小屋は、いつのまにかなくなっていた。

そんな風景を見るともなしに眺めていたら、

「あ……」

という声が、すぐそばで不意に聞こえた。

足を止めてそちらを見ると、土手の縁《へり》に女の子が立っている。ぽかんと口を開け、両手に何本かずつのシロツメクサを持っていた。

「この前の――」

すぐに気がついた。四日前の朝、牧川の部屋の玄関にいた子だ。

「こんにちは」

背をこごめて声をかけたが、少女は答えない。ただじっとうつむいて、わたしの足下を見つめている。彼女の視線を追ってみて、わたしははっとした。履き古したわたしのヒールの下から、半分編みあがったシロツメクサの冠がはみ出している。慌てて足をどかしたが、もう遅い。冠の一部は無惨につぶれ、乾いた土の表面に緑色の汁が染みていた。

「ごめんなさい、気づかなかったの」

小さな顔が壊れるように歪み、いまにも唇がわなわなと震え出すことを覚悟しながら、わたしは少女に向き直った。が、彼女は泣くような素振りは見せていない。ただぼんやりとわたしの顔を見上げ、ちょっと首をひねっている。

「もう少しで、できあがりだったのにね。ほんとにごめんなさい」

シロツメクサの冠と少女の顔とを交互に見て、わたしは困り果てた。少女は同じ仕草を返すだけだ。ちょっと首をひねり、わたしの顔をぼんやりと見つめて――。

遠くから声がした。

視線を上げると、牧川の姿が見えた。一歩一歩、ステッキを地面に突き刺すようにしてこちらに向かって急いでいる。その様子があまりに危なっかしいので、わたしは思わず身を起こして駆け寄ろうとした。

「いいの、いいの」

牧川は片手でそれを制し、歩調を緩めた。わたしたちのそばまでやって来ると、ほうと大きな息をついて背中を丸め、よれたスラックスの膝へ手をあてる。

「ああ……よかった。川のそばで、勝手にどっかへ行っちゃダメだって言ったろうが。水ん中に落っこっちゃったら、危ないんだから」

痩せた咽喉を鳴らしながら、少女の頭をごしごしと撫でる。その手の下で、少女はさっきまでと同じように、ぽかんと牧川を見上げていた。

「川！」

牧川は川のほうを指さす。少女が目線を移す。つぎに牧川は、ふがふがと、溺《おぼ》れるような身振りをしてみせた。それから胸の前で大きくバッテンをつくる。

「ダメ！」

ようやく、少女がうなずいた。

牧川はわたしに顔を向け、息だけで笑った。

「耳がね、聞こえんのです」

（二）

「ああ、これ由希《ゆき》が好きなんですよ。仙台のやつでしょう」

わたしが持ってきた「萩の月」を皿に載せ、牧川は二つの湯呑みにお茶を注いだ。

「間取り、わたしのところと同じなんですね。こっちは角部屋だから、少し違うと思ってました」

2Kで、玄関を入ってすぐ左側に四畳の小さな洋間が一つ。短い廊下の先にキッチンがあり、奥が六畳の和室になっている。

「窓が、ちょっと多いくらいですかね。まあこんなの、西陽がうっとうしいだけですけど。――どうぞ、これ」

目の脇に皺を集めて笑い、牧川は座卓の上に湯呑みを置いた。由希はその隣にきちんと正座して、コップのリンゴジュースをストローで飲んでいる。唇がピンク色で、肌の色が抜けるように白い。

迷惑をかけてしまったからと、牧川がお茶に誘ってくれたのだった。わたしのほうこそ由希の冠を踏んでしまい、申し訳ない気持ちだったので、急いで自分の部屋からあり合わせの和菓子を持ってきた。昨日、工場の同僚がくれた旅行のおみやげだ。

「由希、ほら」

牧川は皿から「萩の月」を一つ取って由希の前に置く。彼女が嬉しそうに顔を向けると、ジェスチャーで、包み紙を剝《む》いて中身を食べる真似をしてみせた。由希はぱっと表情をひらいてお菓子を手に取った。一口頰張り、中のカスタードクリームを覗き込むようにしてから、わたしを見上げてニッと笑う。

「まあしかし、こうやって孫娘といっしょに暮らせるなんてね、幸せなことですよ」

牧川の娘が由希を連れてここへやってきたのは、ひと月ほど前のことだったらしい。

「わたし、ぜんぜん気づきませんでした。牧川さん、お一人だとばっかり」

「いまの集合住宅なんてのは、そんなもんでしょう。それに、うちの娘は遅い仕事なもんで、朝、あなたが出かける時間にはまだいびきをかいて寝てるんです。帰ってくるのも夜中でね。由希もほら、物静かな子ですし」

物静か、という言葉にわたしはつい由希の横顔を見た。

「日中は私がこの子の面倒を見てるんです。通っていた幼稚園も、耳がこうなってからは休ませてますんでね。そういったことに、明るい先生がいなかったもんだから」

唇をすぼめ、牧川はお茶をすすった。小柄ではないのだが、身体の薄い人で、なんだか長袖のシャツがハンガーにかかっているように見えてしまう。

「いやしかし、さっきみたいにこの子の姿が見えなくなるとねえ、もう心配で心配でたまらんですよ。なにせ、呼んでもわかりませんでしょう」

「由希ちゃんの耳は、最近……？」

牧川は、うなずいたようなうなずかないような角度で首を揺らした。そのまま唇だけで笑って何とも答えない。あまりしつこく訊ねるのもどうかと思い、わたしも湯呑みに手を伸ばした。

アパートへ戻ってくる道々、四日前のことを聞いていた。

牧川の部屋から現金が盗まれたのだそうだ。

――ああ、それで警察が。

――そう。私がちょっと出た隙に、やられたんですよ。気づいたのは朝になってからだったんですけどね。

現金はこの和室の、箪笥の引き出しに仕舞われていたらしい。夜の九時少し前、牧川が朝食の食パンを買い忘れていたことを思い出し、閉店ぎりぎりのスーパーまで出かけた隙に盗まれたのだとか。

――玄関の鍵は、ちゃんと閉めたんですがね、ベランダに出る窓を開けたまま行ってしまったんです。その窓から入られたんでしょうな。警察もそう言ってました。

部屋は一階なので、外からベランダに入り込むことは容易にできるだろう。そちら側は広い駐車場になっており、夜ともなれば人の目はほとんどない。じっさい警察が調べたところ、ベランダに侵入の跡が認められたのだとか。

――手摺《てす》りにたまっていた埃がこう、何箇所かこすれていたらしいんですな。

盗まれた現金はどれくらいだったのかと訊くと、牧川はわたしが漠然と予想していたよりもずっと大きな金額を答えた。

――千と……三百万から、ありましたか。

――そんなに。

――働いて、ずっと貯めてたんです。自分の老後のためと……それから、いつかこの子がお嫁に行くときは、ウェディングドレスでも買ってやろうなんてね、思ってまして。バブル崩壊からこっち、なんだか銀行が信用できんような気がして、貯金はぜんぶ自分の目の届くとこに置いて。

あのね、といきなり由希が顔を上げた。

――このまえ、おじいちゃんのうちに泥棒が入ったんだよ。

――ええ、いま……。

対応に困ってしまい、思わず牧川を見た。こちらの会話を気にしない由希の言葉は、水の中でピンポン球を放したように、ぽこんぽこんと急に飛び出してくる。牧川は由希に、わかってる、わかってる、というような仕草をしてみせた。

――泥棒したの、だれだと思う？

無邪気な質問に、わたしは黙って首を横に振った。

——お隣で、何か聞こえた？

鼻をふくらませ、由希はわくわくしたような顔を向けている。彼女は小さな探偵なのだった。わたしがかぶりを振ると、ちょっと唇を突き出して、ふうんというような表情でうなずいた。あまり残念そうではなかった。


「牧川さん。由希ちゃん、眠たいんじゃないですか？」

リンゴジュースのコップを両手で持ったまま、いつのまにか由希は瞼を半分下ろしてぼうっとしている。

「ああ、由希は今日、お昼寝してないんだったね。向こうで寝よう、ほらおいで」

牧川が片手を差し出すと、由希は素直にその手を握った。牧川のひょこひょことした後ろ姿と、由希の小さな背中が和室を出ていく。わたしもなんとなくついていった。

玄関の脇にある四畳の部屋には、布団が二組、壁に寄せて丸められていた。不自由な足をもどかしげに、一組を牧川が床に延べようとしているので、わたしは手伝った。

「由希ちゃんと、いつも並んで寝てるんですね」

「私？　いやいや、これは娘の布団ですよ。私はあっち」

和室のほうを示す。

「私が由希といっしょにここで寝てるとね、娘が帰ってきて怒るんです。まったくねえ、これじゃ、誰の家だかわかったもんじゃない」

由希がもぞもぞと布団に潜り込んだ。枕元には絵本が何冊も置かれている。『かいけつせんせい』という変なタイトルの一冊が一番上にあり、表紙にシルクハットを被った細身の男性が描かれていた。手にした虫眼鏡で地面の黒い足跡を調べているところを見ると、もしかしたら由希の小さな探偵はこれの影響なのかもしれない。

「この子はまだ自分の名前くらいしか読めませんし、耳が聞こえんようになってからは、私らが読んで聞かせることもできなくなってしまったんですけどね。それでも絵だけ見て、けっこう楽しんでるようです」

布団の上から、牧川は由希の胸をぽんぽんと叩く。すぐに、可愛らしい寝息が聞こえはじめた。

「四日前もねえ、由希をああして寝かせてたら、私ふっと、食パンを買い忘れてたのに気づいたんですよ」

部屋を出ていきながら牧川は言う。

「それで、由希におやすみを言って出かけたんですわ。まだ由希も眠ってませんでしたし、あの部屋のドアは開けたまま行ったんで、泥棒がベランダから入ってきたとき、網戸の開く音が聞こえたはずなんですよねえ。もしあの子の耳が……」

中途半端に言葉を切り、疲れたような息をつく。

「由希ちゃんの耳は、どうして？」

「どうも……心理的なものらしいです」

牧川は座卓の前に腰を下ろして答えた。湯気の消えたお茶を覗き込むようにして、ぽつりぽつりと言葉をつづける。

「私の馬鹿娘が、聞こえなくさせたんですよ」


事の発端は、娘の夫の不倫だったらしい。もともと女癖のよくない男で、結婚してからも何度か疑わしい行動はあったのだが、妻が問い詰めてものらりくらりと否定するばかりだったのだという。

「家では、しょっちゅう夫婦でやりあっていたそうです。娘に打ち明けられるまで、私、ぜんぜん知りませんでした。顔を合わせることが少なかったとはいえ、男親ってのはまったく、駄目なもんです」

三ヶ月ほど前から、夫は急に外泊が増えた。しばしば地方への出張がある会社に勤めていたので、それまでも外泊自体はあったのだが、あまりに回数が多くなったことに妻は疑いを持ち、夫が出張だと言って家を出た日の夕方、適当な偽名を使って会社に電話をかけた。すると、会社にいないはずの夫が電話に出た。妻は何も言わずに電話を切り、翌日の夜、帰宅してきた夫を問い詰めたのだそうだ。

が、やはり夫は否定した。

「そんな感じで、なかなか尻尾を出さんもんでねえ……娘も、気がおかしくなってしまったんでしょう」

ある日曜日、妻が買い物から帰って玄関のドアを開けると、夫が携帯電話をポケットへ仕舞うのが見えた。スーツに着替えており、訊くと、急な仕事で会社へ行かなければならないのだという。妻は黙ってうなずき、夫を見送った。そのかわり、夫がドアを出ていくなり、家にいた由希に詰め寄った。

――パパは誰と電話してたの？

――聞いてたんでしょ？

――どんな声で喋ってたの？

「じっさい、由希は聞いてたんですね、父親が電話してるのを。そりゃ、あの旦那だって、まさか自分の娘がそばにいるときに、猫なで声で女と話したわけじゃないでしょうから、仕事の電話をしているような喋り方をしたんだとは思いますよ。由希にしてみても、もちろん内容をぜんぶ聞き取ったわけじゃなかった。でもまあ、ある程度は聞こえていて、憶えていたんですな」

――場所を言ってたわね？

――時間も聞いたんでしょ？

「娘が問い詰めたとき、由希はある駅の名前と、時間を答えたらしいです。旦那が電話の相手に、何度か確認してたみたいで。まあ由希にしてみれば、何でそんなことを母親に訊かれるのか、わけがわからんかったでしょうねえ」

妻はその駅までタクシーを飛ばした。もちろん人混みの中ですぐに夫の姿を見つけられるはずもなかったが、しばらく歩き回っているうちに、とうとう見つけたのだそうだ。

「若い女と、くっついて歩いてたらしいです。で、そのまま駅を離れていって、そういう場所に入っていったと」

その夜、夫婦はアパートの部屋で激しく諍《いさか》った。

逆上した二人は一夜のうちに離婚という結論にまで行き着き、妻は一日も早く由希を連れて家を出ていくと決めた。その由希は、ベッドでじっと布団にくるまって両親の言い争いを聞いていた。夫は夜半から酒を飲みはじめ、やがて正体をなくし、朝になると由希のベッドのそばまで這い寄ってきて、

――お前が盗み聞きしたせいだからな。

そう言ったのだそうだ。

「それで、耳が聞こえんようになったんですわ」

一瞬、意味がわからなかった。

「病院で、脳波なんかいろいろ調べてもらったんですがね、どうやら本当に何も聞こえていないようです。医者が言うには、由希は、自分が父親の声を聞いてしまったせいで、両親が離れればなれになってしまったんだと思い込んでいるみたいなんです。心の奥底のほうで。要するにそれがショックで、聞くのをやめてしまったんですな。ぜんぶの音を。子供には、たまに、こういうことが起きるそうです」

小さく息をつくと、薄い皮膚の下で尖った咽喉仏が動いた。

「治療は?」

「薬を、なるべく使わんほうがいいということでね。待つしかないそうです。ゆっくり、静かに。くれぐれも由希の近くで喧嘩したり、大声を出したりしないようにと注意されました。といっても、日中は由希と私の二人きりですから、喧嘩も大声もないですけどね」

牧川は力なく笑う。

離れた部屋で目を閉じている由希の無邪気な寝顔を思い、わたしは胸を突かれた。

「まあ私としては、こうして由希といっしょにいられるんで、寂しくなくていいですわ」

何もないところを弱い目で見つめながら、牧川は座卓の角を無意味に握ったり離したりしていたが、やがてゆっくりとその手を上げ、まばらに伸びた顎髭を指先でいじった。そんな牧川の横顔があまりに哀しげで、わたしは半ば無理やり言葉の接《つ》ぎ穂《ほ》を探した。

「でも娘さん、頼れるお父さんがいてよかったですね。だって、由希ちゃんがそんなことになって、娘さん一人じゃ――」

「娘が頼りにしてたのは私じゃありません」

遮るような言い方に、思わず相手の顔を見た。牧川はこちらに視線を向けないまま、由希がこぼした「萩の月」のかすを、指にくっつけるようにして集めている。

「娘はね、いままでずっと連絡もよこさずにいたんです。私のことが嫌いなんですな。だから由希とも、会わせてもらえることなんてほとんどなかったんですよ。あの子が生まれてから、この四年間。だから私、十年以上前に女房が死んでから、ずっと独りで暮らしてきたんです。退屈でねえ、寂しくて、なんだかもうほんとに、毎日毎日おんなじ落書きでもしてるみたいな生活でしたよ。ちびた鉛筆でもってね。それが娘のやつ、由希を連れて急に私んとこへ来たでしょ。で、来てその日に、何てったと思います?」

返事を期待している訊き方ではなかったので、黙っていた。

「もう男は信用できないから自分で金を稼ぐことにした。前々から友達と考えていた洋服の店をはじめようと思う。だからお金を都合してくれ。――とこうですよ。私にある程度の蓄えがあるのを、ちゃあんと知ってたんですね。知ってたから来たんです。でなきゃ来やしない。娘が頼りにしてたのは、私じゃなくて、お金なんです。そのお金が盗まれてくれて、私、むしろ清々したくらいですよ」

四日前、外廊下で見た女性の顔を思い出してみた。鼻梁《びりょう》のあたりに気の強さと我儘《わがまま》さを感じさせる、たしかにちょっと棘のある様子の人だったが、金だけが目当てで父親のところへやってきたというのはどうだろう。親子というのは、普通、そんなものなのだろうか。普通の親子関係というものをほとんど知らずに生きてきたわたしには、考えてみたところでよくわからなかった。

「私のお金が泥棒にやられたことを、いっしょに洋服の店を出すつもりだったその友達ってのに話したら、えらく落胆されたってね、まるで私のせいのように言われました。まったくひどいもんですよ。遅くにできた一人娘だったもんで、甘やかしすぎたのかもしれません。小さい頃から、欲しがるものを何でも買い与えてしまったのが失敗だったんでしょうね」

大きな人形の家。音の出るままごとセット。猫のロボット。ラジコンのヘリコプター。一部屋を占領するほどの滑り台。天体望遠鏡。――牧川は思い出をたどるように、つづけざまに呟いた。

「青いひらひらの服なんてねえ、思ってたよりも肩が盛り上がってるなんて言って、けっきょく一度も着ませんでしたよ。それでも、私も女房も、この子は生意気で可愛いなんていってね、笑ってました。馬鹿だなあと思います。この歳んなって、娘も大人になって、ようやくそう思います」

牧川はとんとんと額を叩いた。

「子供を育てるのって、難しいもんです」

幼いころテレビで見たサーカスの舞台裏を、わたしは思い出していた。上演が終わって戻ってきたピエロが、真っ白い顔を拭うと、化粧の下から出てきたのはごく普通のおじいさんの顔で、一日の仕事が終わったところだというのに、その顔はなんだかとても哀しそうに見えた。いま目の前にある牧川の顔は、それとよく似ている気がした。

物音に振り返ると、由希が掌のつけ根で目を擦りながら立っている。腕時計を覗いたら、いつのまにかもう六時を回っていた。

「そろそろ失礼しないと」

今日はファミリーレストランの仕事が入っている日だ。

「ああ、私もそろそろ由希に夕飯を食べさせる時間でした。どうも長々と、老人の話に付き合わせちゃって」

「いえ、そんな。——由希ちゃん」

さようならのかわりに手を振ってみせると、由希はにっこり笑ってうなずいた。

玄関まで送りに出てくれた牧川が、ぽんと手を打って言う。

「そうそ、玄関の上のプレートを見ていつも思ってたんです。あなたも、お名前はユキとお読みするんですか？　それとも——」

サチです、とわたしは答えた。

「ああ、幸《さち》さん。失礼失礼」

牧川は顔の前で掌を立てる。そして思わぬことを言った。

「幸ってのはしかし、いい名前ですね」

「……そうでしょうか」

一度もそんなふうに思ったことはない。なんて自分に似合わないのだろうと、わたしはこの名前をずっと嫌っていたのだ。

「いい名前ですとも」

少し大げさなくらい、牧川は深々とうなずく。

「昔、本で読んだことがあるんです。なんでも『幸』って字は、もともと手首を上と下から手枷《てかせ》で挟み込んだことを表す象形文字だったそうですね」

指先で空中に文字を書き、牧川はわたしが知らなかったことを教えてくれた。

「それが後に、刑罰から逃れたという意味になって、やがては幸運そのものを指すようになったんだとか。ほら、なんだかとても、広々としたイメージのある文字だと思いませんか？」

何とも答えられずにいると、牧川は一人でうんうんと首を揺らした。

「私は、そう思うなあ」

（三）

翌日、夕暮れの土手でシロツメクサの冠をつくった。昨日のお詫《わ》びに由希に届けようと、家路をたどっていると、視界の端を白いものが横切った。一匹の蝶が、ひらひらと頼りなく揺れながら、夕陽に向かって吸い込まれるように飛んでいく。

蝶は毎日決まったルートを飛び、必ずもとの場所に戻ってくるという習性があるらしい。そのルートを蝶道《ちょうどう》と呼ぶのだとか。ずっと昔の知り合いに、そんな話を聞いたことがある。ここによく似た川の土手で、彼は夕陽に顔を紅《あか》くしながら熱心に語ってくれた。

白い蝶が消えた先をしばらく眺めていると、急に自分の少女時代の日々が思い出された。狂っていた母。酒の臭い。男の体重。息づかい。——あの頃、わたしはそんな現実の中にいながら、同時にそこから逃げ出していた。

思えば、由希も同じなのかもしれない。音を聞かず、声を受けつけず、哀しい現実を遠ざけることで、精一杯自分を守ろうとしているのかもしれない。初めて彼女を見たとき、わたしはどこかで会ったことがあるような気がしたが、あれはかつての自分だったのではないだろうか。

母が死んでから、もう五年が経つ。死に際、内臓を侵された母は、無惨に痩せた顔をこちらに向け、どこかに風穴でも開いているような弱々しい声で、一度だけわたしの名前を呼んだ。

呼んで、それっきりだった。

呼び鈴の音で、牧川はすぐにドアを開けてくれた。わたしがシロツメクサの冠を見せると、おお、と声を洩らして目を細める。

「こりゃ喜びます。どうぞどうぞ、寄ってらして」

「でも、今日はこれを渡しに来ただけですから」

「そうですか、じゃ、ちょっと待っててくださいね」

ひょこひょこと牧川が奥の和室に向かう。その背中越しに、じっとテレビ画面に見入っている由希の横顔が見えた。牧川がぽんぽんと肩を叩き、手にした冠を見せてから、わたしのほうを指さすと、由希はわたしを見て、冠を見て、またわたしを見てから、ぱっと顔を輝かせた。牧川が冠を頭に載せてやる。それを落とさないよう両手で支えながら、由希は小さな足音をさせて駆け寄ってきた。衝動的に、彼女を力一杯抱きしめたくなったが、驚かせては申し訳ないので、ぐっと堪えた。かわりに冠の上から由希の頭を軽く撫でると、指先に触れた髪は小鳥の胸のように柔らかだった。

「ほんとに、わざわざすみませんでした。こんな可愛らしいのをつくってきてくれて」

「いえ、かえって夕食どきに、ご迷惑じゃなかったですか？」

なんとなく和室の座卓を見てみると、あの『かいけつせんせい』が一冊ぽつんと置かれているだけで、とくに食事の支度がしてあるようなことはない。

「今日はね、外食ですわ、外食」

秘密でも打ち明けるように牧川が言った。

「いつも家で和食ばっかり食べさせちゃってますからね。そりゃ身体にはいいかもしれませんが、飽きるでしょ。たまには散歩がてら、近くのファミリーレストランにでも行って美味いものを食べさせてやろうと思いまして。スパゲッティーとかほら、グラタンとか」

ここから徒歩で行けるファミリーレストランといえば、わたしが働いている店くらいしかない。頑張って歩けば、もう一軒あるにはあるのだが、牧川は足が悪い。もしやと思って訊いてみると、牧川が行こうとしているのは、やはりわたしの店なのだった。

「へえ、あそこでウェイトレスを？　はあ、偶然ですな」

上体を引くようにして、牧川はわたしの全身を見た。

「あなたは姿勢がいいから、ウェイトレスは似合いそうだ」

牧川と由希が店に現れたらどんな顔をしよう。一人で襟元を熱くしながら部屋に戻った。


「牧川さん、お煙草は？」

「ああ、いまは席が分かれとるんでしたな」

制服に着替えて店に出ると、二十分ほどで二人はやってきた。気恥ずかしかったが、ほかの店員に案内させるのもどうかと思い、やっぱり自分で応対することにした。

「喫《す》えるほうで、お願いします。いや私じゃなくて、娘がやるもんでね」

「あ、娘さんも？」

「そう、あとで」

家族三人で外食というのは少々意外だった。昨日の牧川の話から、娘とはあまりうまくいっていないと思っていたのだが。

「今日は仕事が早めに終わるってんで、無理やり誘ったんですよ。私が年金からおごってやるんです。お金を盗まれても、まだそれくらいの余裕はありますわ」

席に案内し、水のグラスを取りに戻ったとき、由希がわたしのほうを指さして何か囁いた。牧川が耳を近づけ、それから急に上体をのけぞらせて相槌《あいづち》を打つ。

「ねえ、かわいい服だねえ」

由希にわかりやすいよう、口を大きく開けて表情いっぱいに喋るので、周囲の客がわたしに視線を投げてきた。若い女性向きにデザインされた制服を意識しながら、逃げるようにパントリーへ引っ込んだ。

「久々ですわ、こういうのも」

水とおしぼりを持っていくと、牧川は店内を見渡しながら言う。

「昔は、ふた月にいっぺんくらいかなあ、こうして外で食べてたんですけどね。娘が中学生くらいまでは。娘はいつも、注文する料理を選ぶのに、じっぷんもかかってねえ。けっきょく、二つ料理をたのんで、食べきれなくて半分残したりしてましたわ。――なんて、また私と女房の馬鹿さ加減を喋っちゃいましたか」

口元を押さえ、首を突き出す。

「あ、ここ、ここ」

椅子の上で伸び上がるようにして、牧川は誰かに合図した。五日前の朝、隣の玄関先に立っていた女性が、ヒールで床を鳴らして近づいてくるところだった。あの朝と同じような表情をしている。それを見てわたしは、彼女が父親の誘いに喜んで乗ったわけではなかったことを知った。ものも言わず、彼女はボックス席に滑り込むと、わたしの顔をちらりと見て、ほんの一瞬視線を留めた。五日前の朝を、彼女が思い出したかどうかはわからなかった。

席についてからも、娘は細い眉に力を込めたままほとんど口を利かなかった。牧川がメニューを眺め、顔を近づけたり遠ざけたりしながら何か言うが、ぞんざいにうなずくだけだ。漫画でも読むようにメニューをじっくり見ていた由希が、やがて写真の一つを指さした。全員の注文が決まったらしく、牧川がわたしを呼ぶ。由希が選んだのは、小盛りのパスタとグラタンとハンバーグがいっしょになったキッズセットだった。

それからわたしは別のテーブルに何度か呼ばれた。ちょうどタイミングを合わせるようにして、三人の料理が厨房から出されたので、皿を運んだのは他のウェイトレスだった。かえってそのほうがよかったのだ。きっと牧川は、いかにも不機嫌な顔をした娘と向き合っているところへ、わたしに来て欲しくはなかっただろう。

テーブルに料理が並ぶと、由希は夢中になって食べはじめた。口の中を食べ物でいっぱいにしながら、ときどきふと不思議そうな顔をして、皿の縁《ふち》を指でなぞったり、端を持ち上げて下を覗き込んだりしている。あれは何をしているのだろう。子供のやることはわからない。牧川は自分の和食膳をのんびりと箸でつつきながら、由希の顎に垂れたケチャップを拭いてやったり、ハンバーグを切ってやったりしていた。牧川の娘は由希の隣に座っていながら、そういった世話はせず、苛立たしげにフォークを動かし、嫌な音を立ててスープを飲み、そしてときおり顔を上げては牧川に言葉をぶつけた。客の多くない日だったこともあるが、何より彼女の語調のせいで、その内容はどうしてもわたしの耳に届いた。

――店をはじめられてたはずなのに。

――お父さんが窓を開けたまま出かけたりするから。

例の現金泥棒のことを話しているのだ。苦笑しながら相槌を打ち、すまなそうに視線を下げる牧川を見ていると、胸が苦しくなった。

――あの人が盗んだに決まってるわよ。

――あの人しか考えられないでしょ。

彼女がそう言ったときだけ、牧川が小声でたしなめた。それから彼女はようやく声を抑え、会話の内容は聞こえなくなった。五日前、アパートの外廊下でも彼女は同じようなことを言っていたが……あの人というのはいったい誰なのだろう。

「あのとおりなんですわ。まったくねえ、お見苦しいところをお見せしてしまって」

レジで財布を出しながら、牧川が言った。娘のほうは父親に支払いをまかせ、トイレに向かったところだった。

「家でもしょっちゅう、あの調子でやられてます。場所もわきまえないで、物騒なことも言ってましたでしょう。例のほら、泥棒のことで」

「ええ……なんだか、盗んだ犯人に心当たりがあるみたいな」

「心当たりどころか、八つ当たりです」

財布をポケットに仕舞い、牧川はステッキの柄に両手をのせて鼻息を洩らす。

「私の部屋からお金を盗んだのはね、自分の元旦那だって言うんですよ、娘のやつ」

「元のご主人？」

「いえね、いつか何気なく旦那に話したことがあるらしいんです。私にちょっとしたその、蓄えがあるってことを。だから旦那は、出ていった女房に楽な暮らしをさせまいとして、その金を盗んだんだってね。——馬鹿馬鹿しいでしょう。うまくいかないことを、ただぜんぶ、何でもかんでも人のせいにしてるだけなんです。肩持つわけじゃないですけどね、あれじゃ旦那も可哀想だった。ま、そんなふうに育てたのは、私なんですけどね」

最後のほうは、半分溜息のような声だった。

そのとき不意に由希が言った。

「傷、なかったよ」

わたしと牧川は同時に「傷？」と声を返した。由希は曖昧に首を振り、レジの脇に立てかけてあるメニューブックを見上げ、そのまま何も言わない。ほどなくして牧川の娘がトイレから戻ってきて、三人は店を出ていった。

その夜布団に入り、眠りに落ちる直前、わたしはふっと頭の芯に冷たいものが差し込まれるのを感じた。

それから朝まで、一睡もできなかった。

（四）

「由希を見ませんでしたか？」

慌てた様子の牧川と土手で会ったのは、翌日の夕刻だった。咽喉の奥で濁った音をさせながら、牧川は痩せた片手をさしのべ、すがるようにわたしの腕を摑んだ。

「いなくなったんです、また一人でどっかに行っちゃって。ちょっと前なんですけど、二人で散歩をしていて、私が向こうのトイレに入っていたら、そのあいだに――」

「いっしょに捜します」

「私は道路のほうを見てきますから、じゃあ、すみませんが土手のほうを」

うなずくと同時に、わたしは土手の道を急いだ。左右に視線を飛ばしながら小走りに進む。サッカーをしている子供たち。草の斜面に座り込んでいる高校生の集団。由希の姿はない。川のほうへ行ってしまったのだろうか。水辺までは距離があり、土手の上からではよく見えなかった。土手から下りて捜したほうがいいかもしれない。しかし川のそばまで行ってみたところで、あのあたりには背の高い草が多いので、かえって視界は利かなくなってしまう。——行く手に目を戻したとき、橋脚のそばに一台のトラックが停められているのが見えた。暗さを増していく景色の中で、車体の一部が白く光っている。バックランプだ。トラックはゆっくりと後退しはじめた。

全身に震えが走った。

後退していくトラックの行く手に、由希の小さな身体があったのだ。草の上にしゃがみ込んで何かやっている。そこへトラックが徐々に近づいていく。由希は気づいていない。ドライバーも、明らかに気づいていない。

「由希ちゃん！」

声を上げたが、由希は振り返らなかった。その瞬間、わたしは自分の失敗に気がついた。絶対にやってはいけないことを、やってしまったのだ。いま彼女に声をかけることは、彼女をその場から動けなくさせてしまうことに他ならなかった。

夢中で駆け出した。わたしが斜面を下っていくあいだにも、トラックはぐんぐん近づいていく。由希は顔を上げようとしない。

「トラックが来てるの！」

由希の両肩がびくんと動いたのがわかった。

「逃げて！　早く！」

トラックは止まらない。由希とのあいだの距離はもうほんの数メートルほどしかない。わたしは夢中で足を動かした。しかし無理だ、間に合わない。少女の哀しい決意に涙が溢れた。涙の中で必死に叫んだ。

「もう聞こえないふりなんてしなくていいの！」

どうか届いて欲しいと思った。

「平気だから……ぜったい大丈夫だから！」

しゃがんだまま、彼女は微かにこちらを振り返った。

「早く！」

その声とほぼ同時に、彼女は立ち上がって駆け出した。直後、由希がしゃがみ込んでいた場所をトラックのタイヤが通過した。トラックはさらに数メートル進んでから停車し、がくんとギアを入れ替える音をさせ、それから今度は勢いよく前進しはじめると、土手の脇に設けられた小径を上っていく。さっきまで由希のいた場所では、シロツメクサの冠が、トラックのタイヤに踏みつぶされていた。牧川のためにつくってあげていたのだろうか。母親のためだろうか。それとも、もしかしたらわたしのためだったのだろうか。——壊れたように顔を歪め、両手をいっぱいに伸ばして走り寄ってくる由希を、わたしはしっかりと抱き止めた。小さな身体はひどく震えていた。わたしの胸で顔を隠すようにして、彼女は懸命に嗚咽をこらえ、息づかいの合間に、涙で不明瞭になった声を発した。ごめんなさい、ごめんなさいと、その声は聞こえた。

「謝らなくていいの。由希ちゃんは何も悪いことなんてしてないの」

頭を両手で抱き、髪に顔を押しつけた。子供の汗の匂いを胸いっぱいに吸い込むと、そのときになってようやく、由希の無事が確認できた気がして、溶けるような安堵《あんど》が全身に広がった。

——傷、なかったよ。

あれは由希の、無邪気な失敗だったのだ。

彼女が食べていたのはキッズセットだった。ウェイトレスが料理を運んだときか、あるいは牧川か母親がメニューの名前を口にしたときに、おそらく由希は子供らしい勘違いをしたのだろう。「キッズ」を「キズ」と聞き違えたのだ。だから彼女はテーブルで、皿の裏や縁を調べるような仕草をしていた。「傷」があるのではないかと思って。聞き違えたのではなく、由希がメニューの文字を読み違えた可能性も考えてみたが、彼女はまだ自分の名前くらいしか読めないと牧川が言っていた。

彼女の耳は、聞こえていたのだ。

はじめは、本当に聞こえなかったのだろう。医者がそう診断したのだから。両親の諍いが原因で、彼女はたしかに聴覚を失った。ただし、時間とともにそれは回復したのだ。しかし由希は聞こえないふりをつづけていた。聞こえない自分でいつづけることにした。どうしてそんなことをしていたのか、わたしにはよくわかる。――聞こえないことで得られる安心感を、彼女は知ってしまったのだろう。世界を閉じてしまうことで感じられるあの解放を、おぼえてしまったのだろう。耳が聞こえなければ、厭な言葉を聞かずにすむ。母親が父親の悪口を言うのも、生活の不満を祖父にぶつけるのも。だから由希はすべてを聞くまいとして、見えない両手で耳を塞いだ。互いにそっぽを向き合った大人たちの足下で、彼女はそうして哀しく耐えていた。

「由希ちゃん。一つだけ、教えてもらってもいい？」

しかし、おそらくそれだけではないのだろう。彼女が聞こえないふりをつづけていたのには、もう一つの理由があったのに違いない。

「あの、泥棒が入った夜のこと」

由希の背中を撫でながら、そっと背後を振り返ると、土手の上に牧川の姿がぽつんと見えた。わたしたちに気づいたらしく、ステッキを持っていないほうの手をぱっと上げてみせる。わたしは軽くうなずいて、また由希に向き直った。

「由希ちゃんは、何か聞いたのね？」

むくりと頭を起こし、彼女は涙に濡れた顔でわたしを見上げた。小さな唇に微かな力がこもり、両目が哀しげに揺れた。

「何を聞いたの？」

やがて、ごくりと涙をのんで由希は答えた。

「……つえの音」

（五）

「まさかねえ」

息で薄まった声を洩らし、牧川は二つの湯呑みにお茶を注いだ。由希は、この部屋まで連れ帰ってくる途中、わたしの背中で眠ってしまい、いまは玄関脇の部屋で布団にくるまって寝息を立てている。

「由希の耳が、治ってたなんて……」

座卓の上には分厚い封筒がいくつも置かれている。先ほど牧川が冷蔵庫の奥から取り出してきたもので、中には盗まれたはずの現金が入っていた。

「あの夜、私が自分で自分の部屋に忍び込んだのを、じゃあ由希は、知っとったわけですね」

湯呑みを両手で包み、わたしはうなずいた。

「ステッキの音が、聞こえていたみたいです」

牧川の顔を真っ直ぐに見ることが、どうしてもできなかった。

あの夜、牧川は玄関を出ると、アパートの外を回り込んでベランダへと向かったのだろう。由希が寝ていたのは玄関脇の部屋だったとはいえ、たった2Kのアパートだ。ベランダへと近づいてくるステッキの音は、彼女の耳にはっきりと聞こえていたに違いない。柵を乗り越える気配も。網戸が開かれ、箪笥から何かを抜き出す音も。しかしそのときは、牧川が何をしているのかわからなかった。耳が聞こえないことになっている彼女には、様子を見に行くこともできなかったのだから。

「翌朝、牧川さんが自分で自分のお金を盗んだことを知って、由希ちゃんは途惑ったんだと思います。何のために牧川さんがそんなことをしたのかはわからないけれど、これは黙っていなければいけないと、考えてしまったんでしょう。知らないふりをしていなければいけないと」

「まあ、思うでしょうな。なにしろ警察を呼んだりしたんですから」

牧川が警察に嘘をついているとき、彼女はすぐそばにいた。その嘘のせいで母親がヒステリックな声を上げているときも、そばにいた。いったい何が起きているのか。何のために牧川は自分のお金を盗んだり、警察に嘘をついたりしているのか。理由はわからないまでも、それがよくないことだというのは理解できていたに違いない。小さな胸の中で、不安ばかりが高まっていたことだろう。

――泥棒したの、だれだと思う?

夕暮れの土手で、由希はわたしにそんな質問をした。

――お隣で、何か聞こえた?

あれは、確認したかったのではないだろうか。隣に住んでいるわたしが、ステッキの音を聞いていなかったかどうか。牧川がやったことを、わたしに知られていないかどうか。

「由希の身体……重かったでしょう」

不意に牧川が言った。

「ええ、びっくりするくらい。子供って、眠ると本当に重たいんですね」

この部屋へ戻る道々、背中で少しずつ重たくなっていった由希の身体を、わたしは思った。

「子供が眠るときってのは、安心しきって、身体の力をすっかり抜いてしまうんでしょうね。娘もそうでした。眠ると、とたんに重たくなった。それに、すごくあったかかったなあ」

夢見るように、牧川は両目をゆっくりと瞬かせる。

由希の体温は、わたしの背中にまだ残っていた。何年経っても思い出せるのではないかというほど、それははっきりと感じられた。いまこうして人生の午後を過ごしている牧川の背中にも、かつての娘の体温がまだ残っているのだろうか。じっと湯呑みの中を眺めている寂しそうな顔を見ると、きっと忘れてはいないのだという気がした。

自分で自分の現金を盗んだ理由について訊ねてみると、牧川はわたしがなんとなく想像していたのと同じ答えを返した。

「もう一度、娘の教育をやり直してやろうなんてね……くだらないことを思ったんです。娘をここへ住まわせてやるようになってから、私、ひどく後悔しはじめたんです。娘の育て方について。私や女房が、小さい頃から何でも買い与えてやっていたせいで、娘はあんなふうに育ってしまったでしょう。お金、お金、お金。何でもお金。家を飛び出して私んとこへ来ても、やっぱりお金」

深い息をつき、牧川はここで初めて顔を上げた。

「悔しさもありました。親は金じゃない……私は銀行じゃない。そんな気持ちも、ありました」

その悔しさと、後悔を取り戻そうとする気持ちが、牧川にあんな行動をさせてしまったのだ。

「頃合いを見て、娘には本当のことを話すつもりでいたんです。どうして私がそんな馬鹿なことをしたのか、ちゃんと言うつもりでした。警察には、泥棒の件は自分の勘違いで、お金は箪笥の奥のほうから出てきたとでも説明すればいいなんてね」

肩を落とし、また目を伏せる。

「……ほんとに、はた迷惑なじいさんです」

夕陽の射し込む部屋の中で、牧川はなんだか急に小さく縮んでしまったようで、一瞬、ずっとそこに生えている一本の古い木のように見えた。

「でも牧川さん、どうしてわざわざベランダから入ったりしたんです？」

わざと笑いを含ませた声で、わたしは訊いてみた。

「お金を盗まれたことにするのなんて、もっと簡単な方法があったじゃないですか。それこそ、ただ箪笥からお金を取り出して隠してしまっても——」

「怖かったんですよ、ばれるのが」

首を突き出すようにして、牧川はゆるく笑った。

「だってほら、警察が調べれば、きっと簡単にわかってしまうでしょう。誰かがベランダから入ったか、入らなかったかなんて。だから、じっさいに盗んだんです。手袋をして、ベランダの柵を乗り越えて」

虚しげな微笑が夕陽に照らされて、皺の一つ一つがはっきりと見えた。きっとその皺の、どれかが後悔で、どれかが大切な思い出で、どれかが忘れたい哀しみや寂しさなのだろう。

「難しいことを考えるのは、どうにも苦手でして」

しばしの沈黙があり、窓の外から甘酸っぱい香りが入り込んできた。沈丁花《じんちょうげ》のようだ。アパートの外に、そんなものが植わっていただろうか。わたしの表情に気づいたのか、牧川が教えてくれた。

「ベランダのすぐ脇に、生えてるんです。痩せっぽちの沈丁花が一本」

そちらに目線を送り、脂気のない指でのろのろと耳たぶをさする。

「このまえ忍び込んだとき、私も初めて気がつきました」

すっと鼻から息を吸い込み、味わうように目を細める。

「いい香りでしょう」

「ええ、いい香り」

代わる代わる鼻を鳴らし、窓の外から漂ってくる香りを吸い込んでいたら、なんだか自分も牧川も、彼の娘も由希も、いったいどこが違うのだろうというような不思議な気分になってきた。人はみんな、とてもよく似ている。似ているから、心配したり、憎んだり、助けたり、持てあますくらいの愛情を抱いたりする。

沈丁花の香りもだんだんと遠ざかり、春が終わった。

夏が来て、近くの公園で蟬の声が聞こえはじめた頃、わたしの働いている店に牧川がやってきた。娘と、由希もいっしょだった。席に案内したとき、牧川がステッキをテーブルに立てかけようとして、うっかり倒してしまったのを、娘が何かぶつぶつ言いながら拾ってやっていた。

離婚問題のその後や、現金泥棒の件が警察とのあいだでどうなったのか、わたしは知らない。牧川や由希と顔を合わせれば話をするが、そのあたりのことをこちらから訊ねはしなかった。牧川の娘は相変わらず隣室で暮らしていて、わたしとは互いに会釈をし合う程度の関係だ。ただ、日が経つにつれて彼女の顔つきがやわらいできているような気がしていた。冷たい表情に、少しずつ温度が加わって、妙な表現だが、だんだんと由希に似てきたようにも思える。

「つづき欲しい」

料理を運んだとき、由希がそんなことを母親に言っているのが聞こえた。

「つづき買って」

席を離れ際、それとなく耳を傾けていると、どうやら彼女は『かいけつせんせい』の第二巻を欲しがっているようだ。あれはシリーズものだったのか。

絵本をねだる由希に、母親はどう答えるのだろう。それを見て牧川はどうするだろう。少しだけ気になった。しかし、牧川たちの席にはもう料理が出揃っているし、近くのテーブルに用事もない。耳をそばだてながら、わたしはなるべくゆっくりと足を動かして三人のそばを離れた。

第五章　風媒花

（一）

車列が動き出すのを待ちながら、ワイパーの単調な動きを眺めていた。

運転席の位置が高く、数台先の車まで見通せるのがトラックのいいところだ。ただしその長所を感じるのはたいてい渋滞のときで、こっちは苛立っている。へたに先を見通せることがその苛立ちをなおさら募らせたりして、そう考えると、もしかしたらこれは長所ではなく短所なのかもしれない。

すぐ前で停車しているのは個人タクシー。その前は軽自動車、それからセダン、広告会社のロゴが入ったヴァンとつづき、車列の動きを止めているのは停留所で客を乗降させている一台のバスだった。

――たらたらしやがって。

苛立ちまぎれに掌でハンドドルをぱしんとやったら、ドリンクホルダーに突っ込んである携帯電話が鳴り出した。ディスプレイには〈社長〉と表示されている。

「はい、お疲れ様です」

『亮《りょう》ちゃん、いまどのへん走ってる?』

せっかちな社長は、いつも前置きなく話をはじめる。

「まだ十七号に入ったばっかりですけど」

『谷内《たにうち》石材の仕入課から電話でさ、早く石を取りにこいってうるせえのよ。五十日《ごとおび》だから時間かかりますよって言ったんだけどさ』

谷内石材は資材の運搬を委託されている顧客の一つで、月に一度ほど配送の依頼が来る。印材店や墓石店へ、材料となる石を運ぶのだが、なにしろこれがひどく重たいので、やりたくない仕事の一つだった。

『着いたら、なるべく積み込み急いであげてよ』

「腰やっちゃいますよ」

『亮ちゃん若いんだから大丈夫大丈夫。まだ二十二じゃん』

「今日から二十三す」

『あ誕生日?』

声が大げさにひっくり返った。

『おう友恵《ともえ》、亮ちゃん誕生日だって、今日』

友恵さんというのは社長の奥さんだ。従業員総勢八名の富山《とみやま》運送で、副社長を務めている。どうしてあの社長と結婚したのかと思うほど、美人で、知的で、物静かな人だった。事務所で二人を見ていると、申し訳ないが、むかし再放送で見たバカボンのパパとママを思い出してしまう。ただし社長と友恵さんに子供はいない。もしいたとしたら、ちょうど自分くらいの年頃だろうか。二人がなにかと自分の世話を焼いたり、可愛がってくれているのは、もしかしたらそのせいなのかもしれない。

『ケーキ買っといてやるってさ、友恵が』

「いいすよ、そんな」

『何が好きかって』

「じゃあ、モンブランとか」

『似合わねー！』

ばはははははという怒鳴りつけるような笑い声が響き、何か言い返そうと笑いがおさまるのを待っていたら、驚いたことにそのまま電話は切られた。

「なんなんだよ……」

鼻息とともに携帯電話をドリンクホルダーに戻す。

誕生日が来るたび、必ず思い出すものがある。小学二年生のときに姉からもらった、本のかたちをした陶製の貯金箱だった。表と背に、青い字で英語のタイトルが書かれていて、遠目で見ると本当に一冊の高級な本のように見えた。姉は小遣いを貯めてそれを買い、わざわざボール紙でつくったぴったりのサイズの箱に入れて、プレゼントしてくれたのだ。翌日、その箱を持って、当時よく集まってテレビゲームをやっていた友達の家へ行った。箱から取り出し、「この本読んでみる?」などと言ってみんなに見せ、友達がうなずくと、残念でしたといった調子で貯金箱であることを教えてやるのだった。その家に新しく誰かがやってくるたびに同じことをした。たいていみんな欺《だま》され、それが愉快でたまらなかった。

車列が動き出す。

ギアを一速に入れ、前のタクシーについて低速で進んでいると、小さな二つの傘がバス停からこちらに向かって近づいてくるのが見えた。赤い傘と、黄色い傘。小学生の――たぶんあれは姉弟《きょうだい》なのだろう、よく似た顔の二人だった。弟が傘をかしげてお姉さんに何か言っている。声は聞こえないが、甘えた口調が伝わってくるような仕草だった。言葉を返すお姉さんの横顔には、そんな弟が可愛くて仕方がないといった微笑が浮かんでいる。

ふと、自分たちのことを思った。

昔の自分と姉は、あんな感じだったんじゃないだろうか。歳の差も、ちょうど三歳くらい。すらっとしたお姉さんと、短足で不器用そうな弟。

どこへ行くのか、二人は傘を並べたままトラックの脇を通り過ぎていく。なんとなく、その後ろ姿をサイドミラーで追っていた。

あの子たちも、やがては学校を卒業し、社会に出て、別々の暮らしをするようになるのだろう。たとえば弟は二トントラックで資材を運び、姉は大学を出て知的な職業に就く。たとえば弟は自分の母親を憎み、姉はそのことを哀しんで、しょっちゅう溜息をついている。

やがて車列はスムーズに動きはじめ、姉弟の傘はサイドミラーから消えた。

ギアを入れ替えてアクセルを踏み込みながら、しばらく姉のことを考えていた。誕生日が一日違いの姉は、明日で二十六になる。彼氏もなかなかできず、今年も寂しく誕生日を過ごすのだと冗談交じりに言っていたので、食事をおごってやる約束をした。食事といっても高級料理などではもちろんなく、ただいっしょにファミリーレストランへ行くだけだ。それでも姉は楽しみにしてくれているようだった。おんぼろの軽ワゴンで姉のアパートまで迎えに行き、食事が終わったら、この前デパートで買っておいたプレゼントを渡して、ちょっとしたデート気分でも味わわせてやろう。プレゼントは、本が好きな姉のために選んだ革製のブックカバーで、隅にブタがあしらってあるのが照れ隠しにちょうどよかった。

ふたたび渋滞につかまった。

頭をシートにもたれさせ、一本ずつ指を鳴らしていき、ぜんぶ鳴らし終わると、顎を ぽりぽり掻いた。それも終わると腕時計を覗いた。谷内石材のぽんこつ社長が、そろそろまた事務所に電話をかけてくるのではないか。うちの社長もせっかちだが、あそこの社長も厭になるくらいせっかちだ。——などと考えていると、本当に携帯電話が鳴り出した。

しかし、それは社長からの電話などではなかった。ディスプレイに表示されていたのは姉の名前だった。

入院することになったのだと、姉は言った。

（二）

「一件か二件、ヤマさんに配送代わってもらえよ」

「いいんすか」

「お姉さんのとこ行ってやんな」

社長の采配で時間をもらい、トラックで病院へ向かったのは翌日の午後一時過ぎのことだった。

今日も雨がつづいている。内科病棟の廊下はうっすらと濡れ、ところどころについた見舞客の靴跡を、清掃員の女性がモップで拭っていた。子供だろうか、手拍子のようなスリッパの音が遠くから聞こえてくる。階段で二階に上がり、受付で教えてもらった

『2―3』という病室を探していると、不意に母の声が耳に飛び込んできた。思わず足を止め、それからゆっくりと、病室の入り口へ近づいていった。

「じゃ、お母さんもう帰るよ」

「ごめんね。お店、忙しいのに」

「これ鍵。あんたの部屋、ずいぶん殺風景だね」

「ご飯食べて、寝るだけだから」

どうやら母は、姉のアパートから入院に必要なものでも取ってきたらしい。

「退院のとき、また連絡するんだよ」

母の足音がこちらへ向かってきたので、慌てて踵を返した。『談話室』というプレートの貼られたスペースに素早く入り込むと、長椅子に座ってパックのコーヒーを飲んでいた老人が、ぎょっとしたように落ち窪んだ目を向けた。奥の壁際にドリンクの自動販売機があったので、その前に立ち、ポケットに手を入れながら商品を選ぶふりをした。背後の廊下を足音が近づいてくる。足音は談話室の前までやってくると、そこで一瞬止まった。ほんの二秒間ほどのことだった。それからまた、同じ歩調で遠ざかっていった。

いま、母は息子の後ろ姿に気づいたのだろう。しかし、声をかけずに立ち去ったのだ。咽喉もとに苦々しいものが込み上げるのを感じながら談話室を出た。

「あれ」

「おう」

飾り気のない長袖のシャツを着た姉は、最後に会ってからそれほど経っていないのに、なんだかひどく痩せたように見えた。

「亮、いま——」

母と会わなかったか、と訊こうとしたのだろう。姉は中途半端に言葉を止めた。母の話をするのは厭だったので、ベッドの脇に置かれていた折りたたみ椅子にどかっと腰を下ろし、姉が言葉をつづける前に言った。

「何だったの？　けっきょく」

「何だったって？」

「身体」

昨日の電話では、仕事中に倒れて救急車で病院に運ばれたのだとしか聞いていない。検査結果が出る前だったので、姉にもまだわからなかったのだ。

「ああ……ただの疲れだって。もともと貧血気味だったし」

「それだけ？」

訊くと、姉はほんの一瞬だけ目線を外し、またこちらを見て答えた。

「ずっと、変な感じがあったの。ご飯を食べるとき、なんだか飲み込みにくいような。

それも言ったら、先生がエコー検査してくれて、ポリープも見つかっちゃった」

「どこに」

「このへん」

薄い胸の、少し下のあたりに姉は指を添えた。

「そこ何？」

「食道。口と胃のあいだにある、このくらいの通路なんだけど」

馬鹿丁寧というか、何か訊くと、当たり前のことまでつけ加えて答えるのは姉の癖だ。これは一種の職業病なのかもしれない。

「『2―3』なんて、教室みたいだな」

「ね。入院しても、教室」

姉は小学校の教員をやっている。今年初めて担任を持つことになったと、そういえばこの春先に聞かされたが、過労はそのせいなのだろうか。

「どのくらい入院すんの？」

「まだ、ちょっとわからない。精密検査は明日だから。ごめんね亮、ご飯、行けなくなっちゃって」

そうだ、今日は姉の誕生日だった。せっかく買っておいたプレゼントのブックカバーを家に置いてきてしまった。

「姉ちゃんこそ、誕生日に病院で寝てるんじゃ、ぱっとしないね」

「あたしはいいんだけど」

これは小さい頃からの姉の口癖だ。あたしはいいんだけど。あたしはいいから。そうやって姉は、最後に残ったカステラを弟に食べさせてくれたり、本当は見たかったはずのテレビ番組を我慢したり、いっしょに入った映画館で一つだけ空いていた席に弟を座らせてくれたりした。いつだってそうだった。思えば父が死んだときも、姉は弟のために、哀しむのを我慢していたのではないだろうか。火葬場で父の身体が焼かれていると き、親戚たちが先に移動した控え室まで歩くことができず、ホールの床に座り込んで泣いていた弟の手を、姉はじっと握ってくれていた。何も言わず、痛いくらいに握っていた。そうやって姉に手を握られていることで、自分はあの火葬場で、哀しみの半分くらいを父の痩せた身体といっしょに焼くことができたような気がする。もしあのとき姉がいっしょに声を上げて泣いていたとしたら、きっと自分の哀しみは二倍になり、とても消化できるものではなくなっていただろう。昔から、姉といっしょに笑えば二倍楽しかった。姉といっしょに泣けば二倍哀しかった。そのことを、中学三年生の姉はよく知っていたのだ。父の葬儀が終わり、しばらくしてからの日曜日、姉がふらりと家を出て、夕方まで帰ってこなかったことがある。玄関を入り、そのまま二階へ上がっていった姉の目は真っ赤だった。

「亮、お昼は食べたの？」

「いや」

化粧っ気のない姉の顔に、ちょっときつい色が浮かんだ。

「なんで食べないのよ、力仕事なのに」

「仕事抜けてきたから、食う時間なかった」

「そこにある卵焼き食べなさいよ」

「病人が人の心配すんなよ。——卵焼き？」

「お店のやつ。お母さんが持ってきてくれたの」

母はさびれた商店街で総菜屋を経営している。もともとは夫婦ではじめた店なのだが、父が死んでからは仕込みから接客までを一人でこなしている。それにしても、いったい何を考えて内臓の病気で入院した娘に食べ物など差し入れるのだ。母の愚鈍さを久々に見せつけられた気がして腹が立った。月並みなタッパーに、無造作に入れられた卵焼きは、無理やり閉められた蓋で押さえつけられてひしゃげている。

食べなさい、というように姉は唇をすぼめてタッパーを示す。

「いらないよ。だいたい一個っきりしかないじゃん」

「あたしはいいから」

「いいよ、俺も」

母のつくったものを口に入れたくはなかった。高校を卒業して家を出た日から、二度と母の料理は食べないと決めたのだ。

小さく息をつき、姉は窓に顔を向けた。カーテンの隙間から、音もなく降りつづく雨が見える。まだ午後になったばかりだというのに、空は真っ暗だ。

「ポリープで、間違いないのかよ」

「精密検査は明日だけど、お医者さんがそう言ったんだから間違いないでしょ」

「精密検査の前に言ったんなら、間違いかもしれないだろ」

「余計なこと気にしないの」

思わぬ素早さで、姉がこちらを見た。そうしたことに自分で驚いたように、数秒唇を結び、その唇をほどきながら中途半端な微笑を浮かべる。

「ポリープって、いまはたいてい内視鏡手術で取れるんだって。だから、もし取ることになっても、傷はほとんど残らないみたい」

雨が強まったらしく、窓の外からテレビの砂嵐のような音が響いてきた。

「亮も、とうとう二十三か」

「早いもんだろ」

「二年生のときにあたしがあげた貯金箱、まだ持ってるの?」

「持ってるよ」

というのは嘘だった。

誕生日が来るたびにあの貯金箱のことを思い出すのは、それがもうどこにもないからだ。姉にあれをもらった翌日、友達の家でさんざんみんなをからかったあと、貯金箱をもとどおり箱に入れて夕暮れの家路をたどった。途中で、前から来た自転車をよけたはずみに、箱が自動販売機の角にぶつかった。厭な音がした。——それから長いこと、自分はその箱を開けなかった。姉のくれたプレゼントを壊してしまったことを知るのが怖くて、哀しくて、箱のまま押し入れに仕舞ったのだ。姉に貯金箱のことを訊かれると、見えないところに隠してお金を貯めているのだと嘘をついた。あの箱を開けたのは、けっきょく三年生になってからのことだ。貯金箱は三つの大きな破片にわかれ、箱の底に細かな陶器の粉がたくさん散っていた。押し入れの前に座り込み、破片同士をもとの形にくっつけたり、また離したりしながら、鼻の奥がつんとしてきたあのときのことはいまでも鮮明に憶えている。

「亮、雨の日はトラックの運転、気をつけないと駄目よ」

「わかってるよ。プロだぜ」

何がおかしいのか、姉は目を細めて笑った。

（三）

母との関係が壊れたのは、父の病がきっかけだった。

母は昔から明るい人ではなかった。朝から晩まで店の厨房で、肥り気味の身体を曲げ、黙々と総菜をつくってはパック詰めしていた。あまり笑わず、いつも暗いところで小さな字でも読んでいるような目つきをしていて、喋るときも口の中でもごもご言うだけでろくに聞き取れないことが多い。小さい頃から、そんな母に対して子供心に苛立ちをおぼえることがよくあった。クラスメイトの、明るくて細い母親がうらやましかった。しかし、それでもやはり母は母なので、べつに嫌いになるというわけでもなく、いくらうらやましくても、他人の母親と交換したいなどと考えることもなかった。自分の母親として、単純に不満だっただけだ。あの暗さが不満だった。ずんぐりむっくりの体型が不満だった。誕生日にケーキを買ってくれないのが不満だった。そんな不満が嫌悪へと変わったのは、自分のせいではない。母の変化のせいだ。母が変わりさえしなければ、自分だってこんなふうに変わったりはしなかった。

父の病気は膵臓癌《すいぞうがん》だった。

膵臓癌の原因は、はっきりとはわからないらしい。早期発見が難しく、進行も速いことから「癌の王様」などと呼ばれるのだと、どこから聞いてきたのか父本人が教えてくれた。

——だからな、つまり俺の中には王様がいるわけだ。

そんなふうに無理して戯《おど》ける父が可哀想で、可哀想で、姉といっしょに歩く病院からの帰り道はいつも両手を握りしめていた。見栄を張ってはいるが、病気の進行は外見からでも明白だった。肌が乾き、髪が減り、足の指先におかしな黒ずみが浮いていた。胡坐《あぐら》や、半裸や、畳の上での昼寝がよく似合っていた父が、パステルカラーのパジャマを着せられて病室のベッドに横たわり、不平そうに白い天井を見つめているだけでも哀しいのに、そんな風貌を見せつけられるとなおさら辛かった。

だからこそ、母をいっそう恨めしく思った。

両親が愛情で結ばれていなかったことを初めて知ったのは、父が入院したそのときだ。父の死期が近いことが明らかになると、母は激変した。まるで別人のように生き生きとしはじめたのだ。父の見舞いにもろくすっぽ行かず、嬉々《きき》として店を切り盛りし、客の愛想には口を開けて笑い、下品な冗談にも八割くらいの下品さで返すようになった。店の奥からそんな母を眺めていると、いつも胸の底に黒いものがわいた。母が調理し、客に手渡す総菜は、すべて父への裏切りの塊のように思えた。

たしかに父にも悪い面はあった。頑固で一本気で、人の意見を聞かず、母に対していつも横柄な態度をとっていた。酒を飲んでは大声でヤクルトスワローズの応援歌を歌い、そのまま畳で正体をなくしては鋸《のこぎり》でも挽《ひ》くようないびきを部屋中に響かせ、朝食にソースがなかったというだけで怒鳴るような人だった。いま思えば、妻としては耐え難い部分もあったのかもしれない。それでも自分や姉にとっては、たった一人の大好きな父親だったのだ。

母の変化が憎かった。母が厭だった。父の病気も、そもそも母のせいなのではないのかという気がしてならなかった。母が愛情を持っていなかったせいで、何だかよくわからないが、それが父の身体に影響を与えて病気にさせたのではないのかと。

そんな感情の芽生えに引っ張られるようにして、思春期がはじまった。それまで隔てのない話し相手だった姉にさえ、自分の抱えている思いを打ち明けられなくなった。毎日毎日、鬱々と一人で悩み、苛立っているしかなかった。

姉は、学校が終わると友人と遊びもせずに店を手伝った。それまでやっていたバドミントンの部活も辞め、土曜も日曜もなく淡々と働いた。水曜日が店の定休日だったのだが、その日だって厨房の掃除や総菜の仕込みをやらされていた。やがて姉は中学を終え、高校を卒業して国立大学を出たが、そのあいだずっとそんな生活を送っていたのではなかったか。どちらかというと容姿の悪いほうでもないのに、彼氏の一人もできず、友人たちが行ってきたという海外旅行の写真帳を、まるで自分もそこにいたかのように目を細めて繰り返し捲っていた。

「お姉さん、どうだったの？」

午後の配送を終えて事務所に戻るなり、デスクで書類を整理していた友恵さんが心配そうな顔を向けた。過労とポリープのことを簡単に話すと、意外なほど嬉しそうな表情で息をついた。

「よかった。——じつはね、ちょっと心配してたの」

「何をです？」

「ほら、亮ちゃんのお父さんのこと聞いてたから。病気のこと」

しばらく考えて、ああ、と思った。父親が癌で死んだことを、社長や友恵さんには話してあるのだ。

「癌って、遺伝とかするんですかね？」

「どうなんだろう。私はよく知らないけど——」

いったん言葉を切ったあと、友恵さんはすぐにつけ加えた。

「しないでしょ。うちの人のお祖父《じい》さんが、やっぱり癌で早くに亡くなったらしいんだけど、お父さんはまだぴんぴんしてるもの。私のお舅《しゅうと》さん」

「〝そだごどね〟の人ですか？」

東北の田舎に暮らす社長の父親は、我の強い人で、誰かが意見を口にするたびにそう言って否定し、絶対に相手に最後まで喋らせないらしい。それがなんとなく生前の父に似ている気がして、会ったこともないのに印象深い人だった。

「そうそう、その人」

笑うと、友恵さんの目尻には小皺がわく。母の顔には見たこともない、優しくて温かな線の集まりだった。

その小皺をふっと引っ込めて友恵さんは言う。

「でも亮ちゃん、こういうときこそ運転、気をつけないと駄目よ。過労でも何でも、心配事があると人の身体ってなかなか治らないんだから」

姉は、歳をとったらきっとこの人のようになるのではないか。ふと、そんなことを思った。友恵さんほどの美人ではないが、ときおり印象が重なることがある。少なくとも、母のようには絶対にならないだろう。あんなに冷たい人間には。

「みんな、もう上がったんですか？」

事務所にいるのは友恵さんだけだった。

「そう、これ」

友恵さんはコの字にした人差し指を口の前で傾けてみせる。

「いいなあ、みんなばっかり」

「昨日、亮ちゃんが一人でケーキ食べてたから、ヤマさんが言ったのよ。ベテランも大事にしてくれよ社長ぉって」

ヤマさんの特徴的な口調を、友恵さんはちょっと真似た。ヤマさんというのはいちばん古株のドライバーで、社長の高校時代の同級生だ。東北からこっちへ出てきて運送会社を興《おこ》した社長が、広告でドライバーの募集をかけたところ、最初に面接にやってきたのが偶然ヤマさんだったのだとか。

「お店の場所わかるけど、教える？」

「あ、いいっすよ俺は。もう遅くなっちゃったし、金もあれなんで」

ホワイトボードで明日の予定を確認し、更衣室でシャツとジーンズに着替えた。

「傘あるんでしょ？」

「あります」

事務所を出ると、ドアのすぐ外に、淡い緑色の草が生えていた。

ポーチのタイルの隙間から飛び出して、あるかなしかの風に細い葉を揺らしている。稲のようなかたちをしているが、それよりもずっと小さい。

「雑草、取っときます？」

「え？」

「いや、ここに生えてるから」

友恵さんがデスクを離れ、サンダルを履いて出てきた。ポーチを覗き込む友恵さんのつむじに、白髪が何本か見えた。

「カヤツリグサね」

「名前なんてあるんですか」

「何にだってあるわよ。この草、懐かしいわ」

小さく笑いながら、友恵さんは屈み込んでその雑草をぷちんと抜き取る。何をするつもりなのか、根と葉を手早く取り去ると、手の中には十五センチほどの長さの茎だけが残った。友恵さんは茎の先をこちらに向け、ほら、という顔をする。

「あれ、三角だ」

驚いたことに、その茎は断面が正三角形になっているのだった。

「この茎で、小さいころ遊ばなかった?」

「どうやってです?」

「やっぱり亮ちゃんぐらいの歳の子だと知らないか。ちょっと、そっちの端を持って。――そう。端から、ゆっくり裂いてみてくれる?」

三角形の断面に爪を差し込み、そっと左右に引いてみた。茎は抵抗なく、するすると真っ直ぐに裂けていく。友恵さんは反対側の端から同じように茎を裂いていた。裂く方向は九十度違っていたので、こちらが二本に裂いた茎のそれぞれが、あちらからまた二本に裂かれることになり、つまり茎は綺麗に四本に分かれていって——。

「あれ」

気がつけば二人のあいだに、四つの頂点を摘《つま》まれて、四角い枠ができあがっていた。

「不思議でしょ、真四角になるの。これが、蚊帳《かや》を吊ったときのかたちに似てるから、カヤツリグサっていう名前なんだって」

「へえ……」

友恵さんは何でも知っている。じつのところ蚊帳というもの自体を見たことがなかったが、無知をさらすのが厭だったので黙っていた。

「三角形の茎から四角形ができるって、不思議よね。——でもこれ、気が合ってないと上手くいかないのよ」

「じゃ、俺じゃなくて、社長とやったらもっと綺麗な四角になりますね」

「あの人は、ぶきっちょだから」

苦笑するその目に、安定した幸せを見た気がして、少しうらやましかった。

「抜いちゃ可哀想だったかしら。せっかくタイルの隙間から頑張って生えてきたのに」

「まだあっちに生えてますよ。その隅」

玄関ポーチの端から、もう何本か同じ草が顔を出していた。

「あ、ほんと。もう少ししたら花が咲くかな」

「これ、花なんて咲くんですか？」

「地味だから、あんまり気づかれないのよね」

どのような花を咲かせるのか訊いてみると、それは葉や茎と同じような緑色をした、ごく小さなものなのだという。友恵さんが指先で示した一つの花の大きさは、ほんの一ミリほどでしかなかった。

「……ほんとに地味っすね」

「風媒花だから、飾らなくていいのよ」

「ふうばいか」

「風媒ってほら、風に媒介の媒。風が花粉を運ぶ花のこと。風媒の花は、綺麗な外見をしてる必要がないの。だって、わざわざ自分を飾って虫を集める必要がないでしょう？　風は、べつに綺麗な色とか目立つかたちに惹かれて吹くわけじゃないんだから」

「あ、なるほど」

だから地味な花でもいいというわけか。

病室で静かに窓の外を眺めていた姉のことを、なんとなく思い出した。

虫が花粉を運ぶのは虫媒花というのだと、友恵さんはついでに教えてくれた。虫媒花よりも風媒花のほうが、なんだか好ましい気がした。風が吹き、斜めの水滴がカヤツリグサの葉を細かく揺らすと、友恵さんはサンダル履きの足に雨がかかるのを気にして、そっと身を引いた。

（四）

あとになって考えてみると、いくつかの予兆はあったのだ。

たとえば、あの河原での一件。そして壊れた目玉焼きのこと。

三ヶ月ほど前――あれは四月の初めだった。橋脚の補修工事に使う資材を河原まで運んだとき、荷下ろしに思わぬ時間がかかり、作業が終わった頃には空が橙色に夕暮れていた。その日のうちにあと二件の配送をこなさなければならなかったので、急いで運転席に飛び乗ってトラックをバックさせた。車体を方向転換させてその場を離れながら、ふとルームミラーを覗くと、たったいまトラックのタイヤが通過したその場所から、一人の少女が逃げるように駆けていくのが見えた。彼女は母親らしき女性の胸に飛び込み、怯えたように泣きじゃくりはじめた。

全身の血の気が引いた。

車の後ろに少女がいたことに、まったく気づかずにバックしていたのだ。もう少しで、自分はあの少女を轢《ひ》いてしまうところだった。配送の仕事に就いてからというもの、事故にだけは注意するよう、社長や友恵さんからよくよく言われていたのに。

あのとき自分は、大人になってから初めて「死」という言葉を生々しく感じたのではなかったか。六年生のときに父を亡くして以来、思えば死を肌で感じたことはそれまで一度もなかった。長年親戚の訃報も聞かなければ、友人や仕事関係の誰かが亡くなることもなかったから。死がふたたび自分の生活の中に入り込んでくる可能性なんて、まったく想像していなかったのだ。ところが、危うく一人の少女を轢きそうになったことで、まざまざと思い知らされた。

死は、いつだって自分のすぐそばにある。

もう一つの予兆は、友恵さんの目玉焼きだ。二週間ほど前のよく晴れた日、昼どきに事務所へ寄った。普段は早朝にトラックを出してから、夜まで戻ってくることはないのだが、その日はたまたま事務所のロッカーに携帯電話を置き忘れていて、近くの配送先で仕事をこなしたあと、取りに寄ったのだ。

——電話かけたら、更衣室でピロピロ鳴ってんだもん。

——すんません、忘れてっちゃって。

頭を掻きながら社長に謝り、事務所を出ていこうとすると、

——亮ちゃん、お昼は？

友恵さんに呼び止められた。

——あ、コンビニでいまから。

——よかったら食べてく？

社長と自分の昼食を、ちょうどこれからつくるところなのだという。

——お魚とお味噌汁くらいだけど、ついでだから。

いいんすか、と訊くと、いいのよ、ということだった。

その言葉に甘え、事務所に併設された住居にお邪魔して、食卓で社長と向かい合った。ブラウン管のテレビでやっているワイドショーを眺めながら、社長の駄洒落に苦笑いし、台所で鳴る食器の音や炊飯ジャーを開け閉めする音を聞いているのは、悪い気分ではなかった。

が、そんな気分は、友恵さんが食卓に皿を置いた瞬間に消えた。

——亮ちゃん若いから、目玉焼きつけてあげようと思ったんだけど、失敗しちゃって。

皿の上で、目玉焼きの黄身が壊れていた。

——ごめんね、嫌だったら残して。

——あ、いいすよ形なんて。

そう言ってみたものの、急激に胃が重たくなっていくのを感じていた。

病に侵されたとき、父は医者に病状の告知を願い出た。医者は父にはっきりと病名を告げ、レントゲン写真を見せた。

——膵臓のさ、真ん中んとこに癌細胞が広がってんのよ。

見舞いに来ていた小学生の息子と中学生の娘に、病室で父があやって冗談のように自分の病状を話して聞かせたのは、子供たちの哀しみを少しでも和らげてやろうという不器用な心遣いからだったのだろうか。それとも父自身が、自分に取り憑《つ》いた死病を笑い飛ばしてやりたかったのか。人に弱いところを見せるのを極端に嫌う、見栄っ張りの父だった。

――白黒写真なんだけどよ、壊れた卵みてえだったぞ。なんか、ぐちゃっとなってて。

そう言って、父は無精髭の生えた顔を歪めてみせた。蟬時雨《せみしぐれ》の中、血走った目で病室の天井を睨んで死んでいく、ほんの二ヶ月前のことだった。

それ以来、どうしても目玉焼きが食べられない。

――すんません、腹いっぱいで。

友恵さんの目玉焼きも、けっきょく少しつついただけで残した。なさけねえなあと社長が皿を奪い取り、瞬く間に平らげた。友恵さんは微笑んでいたが、何か感じたのだろうか、一瞬こちらを見て心配そうな顔をした。

「姉ちゃん、カヤツリグサって知ってる?」

翌日も雨がつづいた。仕事の合間を抜けて病室を覗きに行けたのは、面会の終了時間ぎりぎりだった。これからもう一件、配送をこなさなければならない。

「知ってるわよ。教材で使ったことがあるから。裂くと四角くなるやつでしょう？」

姉にそう返され、作業服の胸ポケットに伸ばしかけていた手を止めた。そこには今朝事務所を出るときにこっそり取ってきた、カヤツリグサの茎が入っていた。仕入れたばかりのちょっとした知識を自慢してやろうと、わざわざ持ってきたのだ。

「そうだよな、先生だもんな」

「持ってきたの？」

ぎくっとした。何でわかったのか。姉はすでに身体を半分起こし、弟がカヤツリグサを取り出すのを待っている。仕方なくポケットから出すと、カヤツリグサの茎は水分が抜けてすっかり萎《しお》れていた。

「あれ、へなへなだ」

「やってみようよ。柔らかくなってるんなら、逆に上手くいくかもしれないでしょ」

変に気を遣われて面白くなかった。そんな気分が指の動きを乱暴にさせたのか、姉と二人で裂いたカヤツリグサの茎は途中で千切れた。

「気が合わないんだな」

適当なことを言いながら、不格好にばらけた茎を取り上げてゴミ箱に放り込んだ。

「検査、どうだったの？」

「まだ結果は出てない。すぐ出るような、簡単なやつじゃないから」

「何でよ、簡単だろ？　ポリープかどうかを調べるだけなんだから」

「患者はあたしだけじゃないもの」

「まあ……そっか」

夜の病院は静かで、どこかでカートを運んでいる音が微かに聞こえてきた。窓に目をやると、カーテンの隙間から縦長の夜が見える。斜めに降る細かい雨が、遠い電光看板をバックにしたあたりだけ白く光っていた。

雨を見やりながら、姉は小さく歌を口ずさんだ。

雨がふります　雨がふる
遊びにゆきたし　傘はなし
紅緒《べにお》の木履《かっこ》も　緒が切れた

「……暗い歌だね」

「そう？」

姉は昔から歌が好きだった。父が自分の病状を告げるまでは、いつも病院へ見舞いに行く道々、隣を歩きながら歌を口ずさんでいた。いまではうまく思い出せないが、どれも歌謡曲ではなく、童謡のような、中学生には似合わない古くさい節回しの歌ばかりだった気がする。それを聞くともなしに聞きながら、ときに胸があたたかくなったり、侘《わび》しい気持ちになったり、遠い山や海を思い描いたりしていたのを憶えている。

「歌詞も、なんか暗いよ」

「北原白秋《きたはらはくしゅう》。偉い人なんだから」

「名前も偉そうだな」

「本名じゃないだろうけど」

笑いながら、姉が片手で髪を耳にかけると、指に長い抜け毛が一本残った。姉はそれに数秒視線を置いたが、すぐにくるくると人差し指に巻きつけてベッドの脇のゴミ箱に落とした。さっき放り込んだカヤツリグサの茎のそばに、何本もの髪の毛が同じようにして捨てられている。

「学校のアジサイ、そろそろ咲くかな」

また、姉は窓の外を見た。

「アジサイがあんの？」

「すごく綺麗なのよ。退院したら、見るのが楽しみ」

窓ガラスに映ったその顔が、ふと人形のように表情を失くしたように見えた。おやと思って姉のほうに目をやると、そこにはいつもの横顔がある。蛍光灯の加減で、おかしなふうに見えたのだろうか。

渡すつもりで持ってきたブックカバーの包みが、作業ズボンの尻ポケットに入れっぱなしになっていることに気づいたのは、トラックに戻ってからのことだった。

例年より遅く、本格的な梅雨がやってきた。

姉の入院は予想していたよりも長引き、病室から出られないままとうとう一週間が経過した。体調が、なかなかよくならないらしいのだ。

――中途半端な身体で職場に戻ったら、かえって迷惑になっちゃうし、ベッドも空いてるみたいだから。

姉はそう説明していた。そして、精密検査の結果はやはりただのポリープだったから心配いらないと言った。手術で取るらしい。

日中に時間がつくれたので、例によって仕事の合間に病院へ寄ってみると、姉の病室のほうから子供たちが歩いてきた。男の子と女の子が全部で六人。みんな同じ年頃に見える。姉の生徒たちが、見舞いに来ていたのだろうか。

病室に入ると、姉はベッドの上で手紙を読んでいた。

「よう」

声をかけたが、こちらを見ようともしない。姉が読んでいるのは、先ほどの子供たちが置いていった手紙らしい。覗き込んでみると、鉛筆書きの雑な文字が、当たり前の見舞いの言葉を並べていた。

「姉ちゃん、モテるじゃん」

また、無視された。せっかく様子を見に来てやったのに、何だというのだ。聞こえないくらいの音で舌打ちをして、折りたたみ椅子に腰を下ろした。

ふとベッドの脇に目をやった。キャスターつきの小さなテーブルの上に、姉の手鏡や文庫本が置かれている。その後ろに、色鉛筆で描かれた一枚の絵が立てかけてあった。

さっきの子供たちが持ってきたものと思い、視線はいったんその画用紙を行き過ぎたが、すぐにまた引き戻された。小学生が、こんなに上手く絵を描けるはずがない。図工の教師が見舞いにでも来たのだろうか。

が、やがてそれが自分の知っている絵だと気づいた。

「……何で、こんなもん置いたんだよ」

思わず声が低くなった。

「べつに、なんとなく思い出して。お母さんに探してきてもらったの」

姉はようやく言葉を返したが、やはり視線は上げようとしなかった。

その絵は、もう十五年も前に描かれたものだ。画用紙の中には三つの顔が並んでいる。真ん中の、どこか緊張気味な丸顔は母のもの。その左右で屈託なく笑っているのは自分と姉。あれは店の定休日だった。まだ元気だった父が、自分と姉に川釣りを教えてくれるはずだったのだが、急に気が変わったらしく一人で競馬場に行ってしまった。すると珍しく、母が二駅先のデパートまで買い物に連れていってくれた。一階のエスカレーターの下に、ちょっとしたイベントスペースがあって、そこに人だかりができていた。何かと思い、覗いてみると、ちょび髭の画家が、一枚千円で客の似顔絵を描いているのだった。描いてもらいたいと姉がせがみ、ひと通りの買い物を済ませたあと、母と三人で順番待ちの列に並んだ。

母の隣でにこにこ笑っている自分の顔を見ていると、腹の底に苛立ちがつのった。この頃は、母のことが好きだった。不満はあっても好きだった。母があんな人だなんて、まだ知らなかったから。

「今日、お母さんに聞いたわよ」

だしぬけに、姉がこちらを見た。

「この前、隠れたんだって？」

姉は静かに怒っていた。

母との不仲は、もちろん姉も知っている。これまで何度、理由を教えてくれと言われたかわからない。父が死んでからずっと、姉はことあるごとに理由を知りたがった。しかし話さなかった。いつも、頑として答えなかった。

「べつに隠れたわけじゃないよ」

「泥棒みたいに談話室に入っていくとこ見たって、お母さんが言ってたわよ。すごくショックだったたって。仲が悪いのはしょうがないけど、隠れるなんて、ちょっとおかしいよ。話聞いて、あたしまで哀しくなっちゃった」

ひと息にそこまで言うと、姉は持っていた手紙に目を戻した。唇をゆるく結んで、お前とはもう話したくないというような、ひどく冷たい態度だった。しかし短い溜息を一つつき、けっきょくまた顔を上げる。気が昂ぶっているときの癖で、ものを言う前に咽喉の下が一瞬へこんだ。

「いつまでつづけるつもりなの？」

「何が」

「お母さんとのことよ。わかってるでしょ」

黙って目をそらすしかなかった。

「ねえ亮、教えてよ。何が原因なの？　お母さんに訊いても、いつもわからないって繰り返すだけだし」

言えない。言うわけにはいかないのだ。わざと舌打ちをして目をそらした。雨は相変わらずやむ気配も見せず、ときおり風を交えながら窓の外で降りつづいている。

「……仕事、戻る」

視線を合わせずに立ち上がった。姉は何も言わず、弟の横顔を、ただじっと目で追っているだけだった。

　が、廊下に出ようとする直前、唐突に言われた。

「亮は、あたしに甘えてるのよ」

「姉ちゃんに？」

　意味がわからなかった。

「お母さんとのこと。理由は何だか知らないけど、あたしがいるから、そうやっていつまでも仲の悪いままでいられるのよ」

「なに言ってんだよ」

「一人っ子だったら、亮は絶対にお母さんと仲良くしてると思う。大抵のことがあっても、そうだと思う。亮は甘えてるのよ。お父さんは死んじゃったけど、まだあたしがいるから」

　姉は小さく息をついた。それは溜息のようにも聞こえたし、いっぺんに喋りすぎて、ただ疲れたようにも見えた。

「もしあたしがいなかったら、どうするの？」

　いなかったら——。

「どういう意味だよ」

「どういう意味でもないわよ」

それからは、布団の上に重ねた自分の両手を眺めているばかりだった。

（五）

翌日の配送中、尿意をもよおしてコンビニエンスストアを探した。なかなか見つからなかったので、ナントカ公園入り口と書かれた看板のほうへ角を曲がり、小さな公園の脇にトラックを停めた。運転席を降り、公衆便所へ向かって内股で急いでいると、植え込みの隅でアジサイが雨に打たれているのが見えた。用を足したあと、周囲に人がいないのを確かめて一枝折り、トラックに戻った。国道に出ると百円ショップがあったので、そこで綺麗な模様入りのグラスを買った。

夕刻、即席の一輪挿しを持って病室に入っていくと、姉は昨日のやりとりを忘れたように笑顔を見せた。

「でもこれ、まさか折ってきたんじゃないんでしょ？」

「買ったんだよ。アジサイ見たいって言ってただろ」

花はベッドの脇のテーブルに置いた。あの似顔絵が見えるのが厭で、わざとそれを隠すように置いたのだが、姉は気づかないようだった。両手を後ろについて上体を起こし、薄い青紫の花房と、つやつやした葉を眺めて微笑んでいる。襟のない、首まわりが丸く開いたシャツを着ていて、肌に鎖骨のかたちが白々と浮いていた。

「あたし、学校のアジサイ見られるのかな……」

「いくらなんでも、そこまで長引かないだろ」

笑いながら折りたたみ椅子に腰を下ろすと、廊下で物音がして、小肥りで中年の看護師が食事の載ったカートを押して入ってきた。

「あ、晩飯?」

「そう、ちょうど。でもいいわよ、いても。——いいですよね?」

姉が訊くと、看護師はうなずきながらこちらを見て小さく笑った。ベッドの上に突き出した小型のテーブルにトレイを置き、また廊下に出ていく。

「……いまのおばちゃん、何で笑ったんだ?」

「あたしがちょっと話したのよ、亮のこと」

「何て」

「子供だって」

わざとのようにさり気なく言い、姉はスプーンを取り上げた。何か言い返すとまた母の話につながりそうな気がして、咽喉もとまで込み上げた言葉をやっと抑えた。

「そういや、手術、まだやらないの?」

「体調がよくならないと、できないんだって」

食事は、おかゆと温野菜と温泉卵だった。睫毛を伏せた姉が、おかゆにスプーンを差し入れるたび、隣の小鉢に入った温泉卵がふるふると揺れた。

「あんまり美味そうじゃないね」

「そんなことないわよ」

言いながら姉は、温泉卵をスプーンで小さくすくって口に入れる。いつから姉は、こんなものを平気で食べられるようになったのだろう。いまだに目玉焼きさえ食べられない自分は、温泉卵など絶対に無理だ。

そういえば、自分の身体に巣くった癌を壊れた卵みたいだと父が笑い飛ばしたのは、ちょうどいまくらいの時期だった。あのときも、病室の外で雨が降りつづいていた。

「姉ちゃんの食道でも、卵が壊れてたりしないだろうな」

半分笑いながら言うと、言葉が返ってくるまで僅《わず》かな間があった。

「そんなわけないでしょ」

姉の視線は、温泉卵の器にじっと向けられたままだった。

珍しく長い時間、その日は病室にいた。

漠然とした不安が、胸にひたひたと迫り上がってきていたのだ。思えばそれは、今日はじまったものではない気がした。わざわざアジサイを折って持ってきたのも、もしかしたらその不安のせいだったのかもしれない。

雨がふります　雨がふる
いやでもお家《うち》で　遊びましょう
千代紙折りましょう　たたみましょう

食事を終えると、姉は退屈そうな顔をして、またあの歌を口ずさんだ。

陰気なメロディーが、不安の表面に厭な波を立てた。

「それ、やめろよ。暗いから」

「いいじゃない。哀しい歌って、あたし好きよ」

姉は歌をやめなかった。窓の外を眺めながら小さくつづける。声の抑揚につれて、冷たく疼《うず》くような感覚を鳩尾《みぞおち》におぼえた。それを押しのけるようにして、こんどは唐突な苛立ちがわき上がってきた。

雨がふります　雨がふる
けんけん小雉子《こきじ》が　今啼《な》いた
小雉子も寒かろ　寂しかろ

「やめろって！」

自分でも驚くほどの、大きな声だった。姉の細い肩がびくりと動いた。

「……どうしたのよ」

「暗いんだよ」

馬鹿馬鹿しい言葉を返した。

「俺そういうの、厭なんだよ」

居づらくなり、わざと音を立てて椅子から立ち上がると、その動きで姉は小さく身を引いた。唇を結んで咽喉を緊張させ、初めて会った人のように弟を見ていた。

（六）

姉は痩せていった。病室の白いベッドの上でこちらを見上げる虚ろな両目が、内側から引っ張られているようにだんだんと落ち窪んでいき、頬骨のかたちが剝き出しになった。唇が縮んで上下の歯が覗き、胸の奥のほうから、ひゅううという隙間風のような音が聞こえた。なおも姉は痩せていき、どんどん痩せていき、やがてシャツの表面に肋骨のかたちがくっきりと浮き出した。何かを摑もうとして、摑もうとして、姉は鳥の脚のようになった腕を宙に伸ばし、しかし何も摑めずにその手から力が抜けた。

姉はやがて、萎れて乾いた一本の茎のように、動かなくなった。

目を開けると、アパートのカーテンが白んでいた。

首にひどい汗をかき、心臓を握り締められているように胸が苦しくて、鼻水が上唇を濡らしていた。

あの百科事典のせいで、こんな夢を見たのだろう。

昨夜、事務所に戻ったとき、友恵さんに百科事典はあるかと訊いてみた。家のほうにあるというので、お邪魔させてもらい、「し」の項が載っている一冊を借りてアパートへ帰ってきた。

ページを探して読んだのは「食道癌」の項目だった。知りたくなかったことが、そこにはたくさん書かれていた。食道癌の患者に見られる症状——嚥下《えんげ》困難、体重の減少など。この癌はリンパ節に転移しやすく、また周囲にも広がりやすいので、消化管癌の中でも予後が極めて悪い。五年生存率は、全体平均で僅かに十数パーセント。

まさか、とは思う。姉の食道を侵しているのが癌であるはずがない。姉自身が、ポリープだと言っていたのだから。しかし、患者の体内で癌が発見されたとき、進行の具合によっては医者はそれを本人に告げないことも多いのではないのか。本人のかわりに、家族が病状を説明されているのをテレビドラマで見たことがある。姉が入院してから昨日までのあいだに、母が病院に呼ばれ、医者から姉の本当の病状を聞かされていたということはないか。

──今日、お母さんに聞いたわよ。

そういえば、あの日、母は病院に来ていたのだ。

──もしあたしがいなかったら、どうするの？

姉は何故、あんなことを言ったのか。ただ話の流れで口にした言葉だったのか。深い意味などない一言だったのか。いや、医者や看護師や母の態度から、もしや姉は何かを察したのではあるまいか。

──あたしがいなかったら、どうするの？

いなかったら。

いい、いなくなったら。

そんなことは考えたくもなかった。しかし。

──姉ちゃんの食道でも、卵が壊れてたりしないだろうな。

──そんなわけないでしょ。

あのときの、返事が返ってくるまでの僅かな間。

──あたし、学校のアジサイ見られるのかな。

姉が言っていたアジサイは、今年のアジサイのことだったのか。それとも、これから咲くすべてのアジサイの意味だったのか。

病院に行ったのは昼過ぎのことだ。

ベッドの脇のテーブルで、昨日のアジサイが蛍光灯の光にひっそりと花房を向けていた。姉は静かに眠っている。布団は胸の半分までかけてあり、両手はその上にのっている。布団も窪まないほどの、細い手首だった。

起こさないよう、そっと折りたたみ椅子に腰を下ろす。ちゃんと息をしているのだろうか。姉の寝息は耳をすましても聞こえない。

テーブルには子供たちの手紙が置いてある。何度も読み返したのだろう、紙の端が少しよれていた。アジサイの後ろには、あの絵が立てかけてあった。青紫の花に隠れた三人の顔。十五年前の顔。笑っている姉。笑っている自分。そんな二人の真ん中で、母は少し緊張気味にこちらを見て――。

…………。

頭の中に、空白が降りた。

椅子の上から身を乗り出し、アジサイをどけて目を凝らす。見間違いだ。こんなこと、あるはずがない。そう考えながら絵に顔を近づけた。――見間違いなどではなかった。

泣いているのだ。絵の中の母が涙を流している。こちらを見つめている母の左目から、ひと筋の涙が流れているのだった。とても哀しげに。堪えきれず、目をひらいて前を向いたまま、声もなく泣き出してしまったかのように。母は泣きながらじっと息子を見つめていた。一心に、何かを訴えているように。

が、やがて気がついた。

「……こいつか」

テーブルの上で、一匹の小さなカタツムリが角を出してこちらを見上げている。涙と見えたのは、このカタツムリの這った跡なのだった。

先ほどどかしたアジサイに目をやって、ああ、と思わず声を洩らした。きっとこいつは、アジサイの葉にくっついていたのだろう。絵を隠すようにして置いたものだから、そのカタツムリが葉の先を這って画用紙に移動したのだ。そこがちょうど、母の左目だった。カタツムリはそのまま下へ下へと這い、いまこうしてテーブルの上で右往左往しているのに違いない。

馬鹿にしやがって——。

ふっと息を吹きかけてやると、カタツムリは緩慢に角を引っ込めて身を縮ませた。

母の絵を、もう一度見やる。カタツムリの悪戯のせいで、たったいま自分の咽喉もとに込み上げた感情を思い返す。泣いている母を見て、瞬時にわいたあの強い感情。

あれは紛れもなく謝罪の気持ちだったのではなかったか。涙を流す母に見つめられ、胸の中が申し訳なさでいっぱいになり、自分はもう少しで絵の母に向かって頭を下げ、ごめんなさいと口にしてしまうところではなかったか。

「馬鹿にしやがって……」

今度は声に出して呟いた。布団の下で姉の身体がぴくりと動いたが、目を開けるまでにはいたらなかった。

昔、自動販売機の角にぶつけてしまった貯金箱を見るのが怖くて、いつまでも箱を開けなかったときのことを思い出した。あの頃から、自分は何も変わっていないのかもしれない。本当のことを直視するのが厭で、怖くて、こうしてまた何年間も自分自身を誤魔化しつづけているのだから。

本当は、ずっと気づいていたのに。

自分が母を嫌ってきた理由。――あれは母の変化が原因などではない。

要するに、単なる子供じみた八つ当たりだったのだ。最初は、父がいなくなってしまう哀しさを母にぶつけていた。そして父が死んでからは、自分に父親がいないという寂しさをぶつけていた。誰かのせいにしたかった。哀しすぎて、寂しすぎて、何かのせいにしないではいられなかった。そうしなければ、自分の感情に生き埋めにされそうで怖かった。そんなとき、たまたま母の変化を目にして、自分はそれを利用したのだ。ただそれだけのことだった。だからこそ、母を嫌う理由を姉に訊かれても絶対に答えなかった。見透かされるとわかっていたから。本当のことを指摘されるのが厭だったから。怖かったから。

　母が冷たい人などではないことなんて、本当は知っていた。息子と娘を養うため、母は父の病院へ通いつめることなどできなかった。母子家庭になってからはなおさら店を繁盛させなければならず、客に苦手な愛想を振りまき、下品な冗談にも笑って応えていた。母は、火葬場で弟の手をきつく握ってくれていた姉と同じだったのだ。哀しむのをじっと我慢してくれていた。泣きたいのを堪え、笑顔で立ち働いていた。娘と息子の将来のために。

　ケーキなんて出てこなくても、誕生日の夕食はいつもより豪華だった。カレーには牛肉が使われていたし、コップには麦茶のかわりにサイダーが注いであった。サラダにはカリカリに炒めた挽肉が載っていたし、何より母は、どんなに忙しくても、家事の手を休めて誕生日おめでとうと言ってくれた。どうして人は、思い出したくないことばかりはっきりと憶えているくせに、大切なことはみんな忘れてしまうのか。

　そのとき、背後に足音を聞いた気がした。

　振り返ると、病室の入り口に一瞬だけ地味な色の服が見え、すぐに消えた。

　立ち上がって廊下を覗いてみる。ずんぐりした母の後ろ姿が、右手にある談話室へと消えていく。

姉の見舞いに来た母は、病室に息子の姿を認め、何も言わずに立ち去ったのだ。長い針を刺し込まれたように、胸の奥に痛みが走った。動くこともできず、その場に突っ立ったまま廊下の先を見つめていた。

母は談話室から出てこなかった。

「……来てたんだ」

声に振り返ると、姉が眠たげな目を向けていた。

「何してるの。こっち来れば？」

「姉ちゃん——」

言葉が見つからなかった。姉は訊ねるように小首をかしげる。

「姉ちゃん、病気、治してよ」

あまり意味のないことを言うと、姉は困ったように笑った。

「すぐ治るわよ」

「わかってるけど……」

心配事があると、病気はよくならない。友恵さんもそう言っていた。姉の病状が実際のところ、どんなものなのかはわからない。わからないが、とにかく自分にできる何かがあるとすれば、それは少しでも姉を安心させてやることくらいなのだろう。いや違う。姉のためだけではないのだ。もういい加減、自分を誤魔化すのはやめよう。

——三角形の茎から四角形ができるって、不思議よね。

友恵さんの声が、背中を押してくれている気がした。ただでさえ、父が死んで三人きりになってしまった家族なのだ。いつまでも自分だけ殻に閉じこもっていてはいけない。もしかしたら友恵さんは、それを伝えたくて自分にあんなことを言ったのだろうか。

廊下に出ていこうとすると、姉に呼び止められた。

「どこ行くの？」

「母さんと、話してくる」

こちらを見つめる姉の目が、ふっと広がった。

「話して……謝ってくる」

言葉を返される前に、病室を出た。スニーカーの底が湿った廊下に小さな音を立てた。

談話室に入ると、長椅子に座っていた母がびくんと振り向いた。目が合った。母の顔は硬く、それでも少し笑おうとしているようで、十五年前に描いてもらった絵とよく似ている気がした。それだけに、歳をとったなと思った。どうやって謝ればいいのだろう。何から説明すればいいのだろう。いじけていた期間が長すぎて、もうさっぱりわからなかった。

（七）

病院の駐車場におんぼろの軽ワゴンを停めたのは四日後のことだ。ようやく梅雨が明けてくれるのだろうか、この四日間はかんとした晴天がつづいている。地面のコンクリートが太陽の光を眩しく跳ね返し、一匹の白い蝶が、澄んだ初夏の空気を愉《たの》しむように翅を動かして、遠くで胸を張った入道雲のほうへ消えていった。

「……早かったか」

腕時計を覗く。

迎えに来るのは十時頃がいいと言われていた。まだ九時半にもなっていない。

あれから姉に、母の絵が泣いていたことを話し、自分はカタツムリに諭《さと》されたのだと打ち明けた。しばらく考えたあと、姉はこんなことを言った。

――カタツムリが諭したんじゃなくて、亮は自分で気づいたのよ。だって、あのアジサイは亮が持ってきて、あそこに置いたんでしょ？

ああそうか、と思った。そんな考え方もあるのかもしれない。自分の行動が、思わぬかたちで自分を動かすことになったのだと、まあ言えなくもない。

――べつに、どっちでもいいんだけどさ。

その後、姉の体調は急速に回復し、ポリープは内視鏡手術でいとも簡単に取れた。経過を見て問題なしと医者が太鼓判を押したらしく、今日、退院する。ちょうど仕事が休みだったので、こうして迎えに来ているのだった。姉を乗せたら、アパートまで送る前に母の店へ寄ることになっていた。昨日、電話で母にそう頼まれたのだ。病み上がりだと料理をするのも大変だろうからと、姉の好きな総菜をいくつか用意しておくらしい。べつに食べたいわけではないが、ついでに自分も少しもらって帰るつもりだった。母とはまだかなりぎくしゃくしているので、こういう小さなことから少しずつ関係を立て直していくつもりでいた。

病院の玄関を入ったとたん、どこからか姉の明るい笑い声が聞こえてきた。しかし姿は見当たらない。きょろきょろしながらロビーを抜けていくと、受付の脇で見つけた。看護師と向き合って立ち話をしている。あれはたしか、このまえ病室に夕食を運んできた看護師だ。小肥りの身体にぱんぱんの白衣を着て、口をあけて笑っている。

「でも先生には内緒にしといてくださいね。ここ、病院だから」

声のでかい人だった。

「カタツムリを持ち込んだなんてばれたら、あたし叱られちゃいますよ」

恐縮するように肩をすくめ、姉は聞き取れない言葉を返している。様子からして、看護師に何かを謝っているようだ。ただし口元は笑っていた。

カタツムリを持ち込んだ？

ホールの端に立ったまま、しばらく二人を眺めていた。

カタツムリ。あの小さなカタツムリ。

頭の中が、梅雨明けの空のようにぽかんとなった。やがてその頭のどこかで、ぴぃんと小さな音が鳴った。小気味いい、どこまでも抜けていくような音だった。

そういうことか。

姉の横顔を見る。病み上がりなんて嘘みたいに、よく笑っている。自分の唇の端が、だんだんと持ち上がっていくのを感じた。

なるほど……上手いことやられたわけだ。

持ち上がった唇の端を、無理して下げようとした。しかしなかなか難しかった。憮然《ぶぜん》とした表情をつくろうと、変なふうに力を入れているうちに、とうとう頬全体が持ち上がってしまった。

あの涙は、姉の仕業だったのだ。看護師に頼んでカタツムリを捕ってきてもらい、絵の中の母の頬に這わせたに違いない。いや、それともカタツムリはただテーブルの上に転がしておいただけで、あの涙自体、水か何かで描いたものだったのだろうか。あるいは夕食に出たおかゆの汁でも塗りつけたのか。あのアジサイが、買ってきたものなどではなく、どこかから折ってきたものだということも、姉はちゃんと気づいていたのだ。そうでなくてはカタツムリなんて使わない。

——亮は自分で気づいたのよ。

よくもまあ、あんな白々しいことが言えたものだ。

思えば、ただのポリープをもっと重い病気だと勘違いさせたのも、わざとだったのではないだろうか。姉が癌かもしれないという気持ちがあったからこそ、自分はああして母に謝ろうと思ったのだから。それだけじゃない。窓の外を眺めながら口ずさんでいた、あの陰気きわまりない歌も絶対にわざとだ。まったくふざけた人だ。弟の気持ちをもてあそぶにもほどがある。

しかし。

へえ、と思った。

意外だった。姉は、そんなことができる人だったのか。

欺されたことがわかったというのに、変に痛快な気分だった。長いこと頭の内側にこびりついていたものが、ぽろりと剝がれ落ちたような心地がした。自分は姉のことを、友恵さんが教えてくれた風媒花だと思っていた。いや、昔はたしかにそうだったのかもしれない。周囲の風にすべてをまかせ、自分はそっと立っているだけのような人だったのかもしれない。

だが、人は変わる。

変わらなければいけないのだ。

いつか自分も、平気で目玉焼きや温泉卵を食べられるようにならなければいけないのだろう。

「カタツムリ……でんでん虫か」

案外、姉は風媒花などではなく虫媒花だったのかもしれない。

「俺も、虫だったわけだ」

たくらみに誘われて、まんまと思い通りのことをしてしまった。

もう一度、姉の横顔を見た。生き生きとした明るい笑顔だった。何か言いながら吹き出して、看護師の腕を摑んでいる。そんな姉が、なんだか急に別の人に見えた。

「友恵さんどころじゃないな……」

昔の姉もいまの姉も、どちらも綺麗だと思った。

第六章　遠い光

（一）

スピーカーから流れてきた予鈴の音に、文庫本を閉じた。顔を上げて朝の教室を見渡すと、生徒たちはそれぞれ読んでいた本を机に仕舞いながら、待ってましたというように近くの席の子たちと喋りはじめている。毎朝繰り返されるその光景が目に入ると同時に、条件反射のように胸の底がぐっと重たくなった。

「本を閉じてすぐお喋りすると、もったいないわよ」

ぱんぱんと手を叩いて注目を集め、大きな声を張る。音も声も、思い切ったボリュームで出さないと子供はまったく気にしてくれない。この頃ようやく言うことを聞くようになってくれた生徒たちが、ばらばらのタイミングでこちらに顔を向けた。

なんで、と教室の隅で声が上がる。

「喋ると、頭の中にあったものが飛んでいっちゃうでしょ。だから本を閉じたときは、十秒でもいいから口もいっしょに閉じて、自分が何を読んだのかを考えたほうがいいの」

なんだつまらない、といったふうに目線を外す子。意味がよくわからない様子でぼうっとしている子。自分は先生の言葉をよく理解できましたと言いたげに、大げさに何度もうなずいている子。教師の言葉に対する小学四年生の反応は様々で、担任を持ったばかりの頃はそれが不安で仕方がなかった。最近では、どんな反応をする子供でも一分も経てばたいてい同じ程度の理解に行き着いてくれるということがわかってきたが、それでも個々の反応をゆるがせにしては担任は務まらない。

幼い頃から夢見ていた「女の先生」と、実際の教員とがまったく違っていたことを、この春に担任を持って以来、毎日思い知らされていた。そして、教師も人間だったのだという当たり前の事実を日々確認させられていた。夏の初めに体調を崩して入院し、学校に迷惑をかけてしまったが、あれはやはりストレスが原因だったのだろうか。

十秒経った、と誰かが言い、それが合図だったかのように教室がまた話し声に包まれる。大きな圧力のような騒がしさを受け止めながら、文庫本を教卓の引き出しに仕舞った。かわりに一時間目の授業で使う社会科の教科書と、教案をまとめたノートを取り出す。

「まだ本を出してる人、机に仕舞って。大事にね」

先月から全校ではじまった「朝の読書運動」は、子供たちには好評だったり不評だったり、いろいろだが、わたしにとってはありがたいものだった。生徒たちは図書室で借りてきた本を読むことになっているが、教師に対してはとくに指示が出されていない。ほかの教師たちに訊いてみたら、みんな趣味の本を読んでいるとのことだったので、わたしも好きな時代小説を持参することにした。気鬱な日々の中、授業を開始する前に小説を読む時間がもらえるなんて、それがたとえ十分という短いものであっても、なんだか嘘みたいだった。弟から誕生日プレゼントにもらった革製のブックカバーには、隅のほうにブタがあしらってあり、それが女子生徒たちのあいだで可愛いと人気だ。ピンク色の、雄だか雌だか判然としないブタが、手枕をして昼寝をしているというもので、わたしにはどこが可愛いのかよくわからないのだが。

職員室のホワイトボードも書き替えられ、今日から十一月に入る。

ふと、窓際の朝代《あさよ》を見た。

閉じた本を机の上に置いたまま、朝代は背筋を伸ばし、顔を心持ちうつむけて、何もないところをじっと見つめている。いつもあまり表情を変えることのない彼女だが、今朝はいっそう無表情になっていた。今日から彼女の名字が変わっていることは、クラスの生徒たちにはまだ話していない。教頭に相談したところ、下校前のホームルームで説明したほうがいいのではないかと言われた。朝のうちに話してしまうと、今日一日のあいだに、クラスの誰かが彼女を傷つけるようなことを言い出すかもしれない。下校前であれば、子供たちは翌朝までに朝代の事情を理解し、ある程度嚙み砕いた上で彼女と接してくれるだろう。そういう説明だった。

朝代の母親が、結婚したのだ。

昨日の日曜日、母と娘の姓が変わり、今朝から学校の書類でも朝代の名字は木内《きうち》から藪下《やぶした》という新しいものになっている。

もちろんそれは後ろめたいことでも何でもない。朝代が生まれてすぐに両親は離婚し、母親は長いことシングルマザーで頑張ってきたそうなので、むしろとてもめでたい話だ。だからわたしは、はじめは教頭の言っていることがいまいちわからなかった。よくよく話を聞いてみると、小学四年生というのは、ほんの少しでも性の匂いがする話題には驚くほど敏感で、母親の結婚というのはそんな彼らの幼い触角を刺激するには十分なのではないかというのだった。

——私が担任を持っていた頃も、こんなことがありましてね。

朝礼のとき、その日が誕生日の生徒に全員で拍手を送るということをやってみたのだそうだ。するとすぐに、十月十日が誕生日の生徒が「元旦」というあだ名をつけられた。その六日前が誕生日の生徒は「クリスマス」というあだ名で呼ばれた。

——十月十日《とつきとおか》で、赤ん坊は生まれてくるって言うでしょう。だから……。

なるほどと思った。大人にとってみれば馬鹿馬鹿しい冗談でも、それを言われた子供は辛いだろう。

——何がどんなふうに問題になるか、わかりませんからね。

教頭の指示に従い、朝代のことは下校前に話すことにした。

そんな経緯があったので、ホームルームで朝代の話をしたときには少々緊張した。しかし結果はあっけないもので、男子生徒も女子生徒も、ただ興味なさそうにわたしの説明を聞いていただけだった。誰かがあとで朝代におかしなことを言い出しそうな雰囲気もない。当の朝代を見ると、まるでそんなクラスメイトたちの反応を見まいとするように、窓の外に目を向けていた。

二週間前の夕方、朝代の母親が言っていたことを思い出した。

——あの子……お友達、いるんでしょうか。

娘の名字が変わるという話をするために、訪ねて来たときのことだった。生花店で働いている母親は、配達の途中で学校に寄ったらしく、ときおり応接室の時計に目を上げながら終始落ち着かなげだった。店の配送車で来たのだが、車を降りてからエプロンを外していないことに気がついたのか、使い込まれて汚れたエプロンが膝の上で丸められていた。

——あまり、みんなといっしょに行動するのが得意ではないようです。

正直に答えた。

朝代について、それはわたしも大いに気にしていたところだった。彼女は無口で大人しい。担任になってから、話し声というものをほとんど聞いたことがない。べつにクラスメイトからいじめられているとか、嫌われているわけではなく、単純に性格の問題のようなので、担任としてはどうすればいいものか悩んでいたのだ。休み時間など、いつも一人で席についたままでいる。何度か適当な話題をつくって話しかけてみたが、返ってくるのは曖昧な相槌だけで、朝代は表情をほとんど変えないまま、放っておいてくれとでも言いたげに視線をそらすのだった。

——学校でも、やっぱりぜんぜん喋らないですか？

——ええ。ご家庭でも、まだ？

まだ、とわたしが言ったのは、五月の家庭訪問のときに母親が同じようなことを言っていたからだ。朝代が隣にいたので、やわらかいもの言いではあったが、口数が少なすぎて困っているというようなことを母親はこぼしていた。そのときも朝代は、まるで他人に関する会話を聞いているみたいに、ぼんやりと自分の鼻先を見つめているだけだった。

——あれも一つの個性かと思って、家で押しつけがましく意見することはなるべくしないようにしているんですけど……なんとかならないものかと、いつも思います。

そう言って、母親はまた応接室の時計に視線を向けた。

――朝代さんは頭がすごくいいので、ああして黙って過ごしているときに、胸の中でいろいろと考えているのかもしれませんね。

一学期末のテストでは、朝代はすべての教科で満点だった。小学四年生のテストで満点というのは、じつはそれほど珍しいことではないが、すべての教科でそれをやってのける生徒などほかにいない。別のクラスを担任している教師に話してみたら、やはり驚かれた。

――国語の感想文なんかも、こちらがどきっとするようなことを書いてきますし。

――図書室の本を、よく家で読んでいるんです。

――ぼんやりしているわけじゃなくて、やっぱり、いつもちゃんと何かを考えているんでしょうね。

ぽつぽつと話し合った結果、いまは様子を見てみようということになった。

――あの、今回のご結婚については……。

立ち上がりかけた母親に訊いてみた。

――朝代さんは、どんなふうに？

――いつもと同じです。

小さな溜息を挟んで母親は答えた。

――ああそう……というような、なんだかよくわからない反応でした。

それから唇を結び、哀しそうな顔をした。

——あの子の進学の話は、以前に先生にもしましたよね？

——ええ、私立の中学へ行かせたいという。

どうして再婚の話から急に進路の話になるのか、意図を捉えかねた。

——わたしは学がなかったので、ずいぶん苦労したんです。だからあの子には、同じような思いをさせたくないんです。せっかく勉強ができるんだから、中学の時点で、いいところへ入れてあげたくて。

言葉のつづきがあるものと思い、しばらく相手の顔を眺めていると、彼女は口の中で小さく謝って目を伏せた。

——じゃあ、わたし、そろそろ。

——あ、お送りします。

母親と並んで放課後の廊下を歩きながら、いましがたの言葉について考えているうちに、なんとなく理解できた気がした。彼女の結婚は、きっと娘のためでもあるのだろう。母子家庭で子供を私立中学へ入れるのは難しい。もちろん学費のためだけに再婚するわけではないだろうが、そのことも一つの理由になっているのではないか。

この十年間、一人で娘を育てるのはさぞ大変だったに違いない。わたしの父も中学生のときに他界し、母が懸命に総菜屋を切り盛りしながらわたしと弟を育ててくれたので、苦労はよくわかった。

（二）

どういうわけか、この頃よく思い出すものがある。

いや、思い出すというのではないのかもしれない。ふとしたときに、頭の奥のほうに浮かぶイメージがあるのだ。

それは白い光だった。

実家は寂しい商店街で総菜屋をやっていて、住居を兼ねた店なので、大学を出て教員になり、一人暮らしをするまでは二階にわたしの部屋があった。光が見えるのは、どうもその部屋らしい。おぼろげな景色の中で、わたしの身体は小さくて、まだ朝代ほどにもなっていない。何故か天井を見上げている。耳のすぐ後ろで、なにやら物音がする。金属と金属が触れ合う音。美容院の鋏が立てるような音ではなく、もっと大きなもの同士がぶつかり合っているような。そうかと思えば、身体のすぐそばで、何かがゆっくりと動いている気配もある。――光は、どこに見えるというわけではない。まず窓が光っている。天井が光っている。壁が光っている。片手を持ち上げて顔の前に持ってきてみれば、それも光っている気がする。

不思議なのは、わたしが使っていたあの部屋には北向きの窓しかないということだ。朝にしろ昼にしろ夕方にしろ、光が射し込むはずがない。では夜だろうか。光っているのは天井の電灯なのだろうか。そうなると窓が明るいことが説明できない。もしかしたら、あれは子供部屋ではない、どこか別の場所なのだろうか。たとえば旅先。たとえば病室。光の眩しさからして、家庭用の電灯ではない気もする。

あまり頻繁にそのイメージが浮かぶので、なんだか気味が悪くなり、一度、母に電話で訊いてみた。

——夢でしょ、そんなの。

母の言葉は簡単なものだった。そして、客が来たからと、すぐに電話は切られた。

その光のイメージが、いままた見えていた。頭の奥のほうに。ホームルームを終え、生徒たちがまばらに歩いている廊下を職員室に向かっているときのことだった。いったい何なのだろう、これは。現実の記憶なのだろうか。それとも母の言うように、夢の記憶なのだろうか。以前はこんなものは見えなかった。見えはじめたのは、ここ最近——夏の初めに病気を患う、少し前からだ。

「あ、恒島《つねじま》さん」

職員室に入ろうとしたところで、庶務の恒島さんと行き合った。用事を思い出して声をかけたとたん、それまで見えていた光はどこかへ消えた。

「藪下さんの判子、できました？」

「判子？」

猫背の恒島さんは、午後も三時を過ぎて髭の目立ちはじめている顎を撫でながら、首を突き出して不思議そうな顔をする。

「判子……なんて、頼まれてましたっけ」

「ええ、ほら、今日から名字が変わる子がいるので、新しい氏名印を」

あっと口を開け、恒島さんは日焼けした額をばちんと叩いた。

「今日、一日《ついたち》ですか。まいったな、判子屋に取りに行くの忘れてた。いやうっかりしてた。すぐ必要ですか？」

「明日の朝でも大丈夫ですけど」

「じゃ、帰りに店に寄って、受け取っときますね。先生には明日必ずお渡しします」

言ってから、恒島さんはまた「あっ」と額を叩く。

「駄目だ、俺明日、休みなんだ。実家のほうで不幸があってね、忌引もらったんですよ。明後日までこっち帰ってこないんだよなあ。もう少しで学校出なくちゃならないから、いまから取ってくる時間もないし……」

最後のほうは独り言のように言いながら、腕を組んで考え込む。

「わたし、かわりに取ってきましょうか」

「え？　いや、それは申し訳ないですよ。そりゃよくない」

「児童公園の向かいの判子屋さんですよね。そんなに遠いわけじゃないですから、構いませんよ」

店に入ったことはないが、場所は知っていた。

「でも……そうですか？」

恒島さんは案外簡単に引き下がり、朝代の新しい判子はわたしが取りに行くことになった。


ハンドバッグだけを持って校門を出ると、橙色の雲を背景に、アカトンボが群れ飛んでいた。担任を受け持ってからというもの、夜遅くまで残業がつづくことが多かったので、こんな時間に学校を出るのは久しぶりだ。判子を受け取ったらまた職員室に戻り、いくつかの書類を片付けなければならないが、束の間の散歩気分に小さく胸が弾んだ。

子供の頃、忘れ物を取りに学校から家へ帰らされ、いつも歩いているはずの路地が急に別のものに見えて不思議だったことがある。まるでそのときのように、なんだか目に入るものすべてが物珍しかった。

歩きながらアカトンボを眺めていると、入院した父を見舞っていた頃のことが思い出された。三歳下の弟を連れてたどる家路は、たいていこんなふうに夕暮れていた。沈んでいく太陽が、息を呑むほどに綺麗だったときもある。晴れた日、途中で通る土手の道は、土と草の匂いでむせ返るようだった。父の病が治らないものであると知るまでは、いつも小さく歌を口ずさみながらその道を歩いていた。小学六年生の弟に古くさいと言われるくらい、どうしてか昔から、口をついて出てくるのは童謡ばかりだった。

ゆうやけ　こやけの　あかとんぼ
おわれて　みたのは　いつのひか

あの歌詞が「追われて」ではなく「負われて」だと弟に教えてやったのも、病院からの帰り道だったのではなかったか。

じゅうごで　ねえやは　よめにゆき
おさとの　たよりも　たえはてた

「ねえや」は十五でお嫁に行ったらしいが、十五といえば、わたしが担任する生徒たちの五年後だ。そう考えると奇妙な心地がした。とてもじゃないけれど、想像ができない。
彼女たちは、学校に着てくる服もお洒落だし、放課後や休日にはマニキュアや色つきのリップクリームを塗っている子もいる。何人かは携帯電話だって持っている。しかし、中身はあまりに幼い。そのことを、わたしはこの半年間で嫌というほど思い知らされていた。ちょっとしたことで自分を抑えられなくなったり、他人の気持ちを大切にすることを知らなかったり。見た目や持ち物が大人びた分、昔よりも、中身を成長させることが難しくなったのだろうか。

アカトンボが妙なことをしているのを見かけたのは、印章店までの道のりを半分ほど歩いたときのことだった。

路地の脇の民家に、一台のセダンが停められている。こちらを向いたボンネットが夕陽を眩しく跳ね返し、そのボンネットの上で、二匹つながったアカトンボが揺れていた。踊るように上下に動きながら、下になった一匹が、しきりに細長い腹の先をボンネットに打ちつけている。いったい何をしているのかと、そっと近くへ寄って覗き込んでみれば、アカトンボが腹を打ちつけた場所に、小さな白いものがたくさん落ちていた。

「卵だよ」

急に、声がした。振り返ると、別の小学校の生徒なのだろう、知らない男の子が、ちょっと得意げにこちらを見上げている。

「そうやって、きらきら光る平らなものに、ときどきアカトンボの仲間は卵を産むんだって。水面と間違えて」

あどけない顔が、もっと喋りたそうにわくわくしている。

「詳しいのね」

腰を屈めて視線を合わせた。

「虫の勉強してるから」

「将来は昆虫学者？」

冗談半分で言ってみたら、

「そのつもり」

まるで明日の予定を訊かれた大人のように、平然と答えた。

「おじさんが言ってたんだけど、昆虫にはすごくたくさんの種類がいて、だから勉強することがいくらでもあって、勉強しても勉強しても、いつまでもきりがなくて、面白いんだって」

「おじさんが、虫の勉強をしているのね」

「僕のおじさんじゃないよ。河原にいたおじさん」

一瞬、何を言っているのかわからなかったが、どうやら「おじさん」は自分の親戚ではないという意味らしい。

「その人が、夢を大きく持てって教えてくれたから、昆虫学者になることにしたんだ。

虫が好きだから」

　少年にうなずき返しながら、わたしはふと自分の夢を思った。幼い頃からの夢。「女の先生」になること。ドラマのような人間模様の中に身を置き、子供たちといっしょに泣いたり笑ったりすること。いまやその夢は、追いかけかたさえ見つけられないまま、半死半生で胸の中をさまよっている。

「それで、いま勉強中。妹も、このまえ虫の本を買ってもらった」

「おじさんに？」

「違う、お母さんに」

　言ってから、彼はふと寂しそうな顔をした。

「おじさんは警察に捕まっちゃったから」

　いきなり物騒な言葉を口にする。

「悪いことしたの？」

　訊くと、彼は唇をちょっと突き出すようにしてうなずいた。

「自分で警察に行ったんだって。ニュースでやってた。そのニュース見て、僕と妹もほんとのことを知って、ほっとしたけど、でも哀しかった」

　いったい何の話だろう。アカトンボから、いきなり警察やらニュースやら……。わたしが言葉を探しているあいだ、彼はしばらくボンネットのアカトンボに目をやっていたが、やがてこちらをまともに見て言った。

「夢が小さいと、ぐるぐる回っちゃうんだってさ。カナブンみたいに」

「カナブン……？」

いよいよ、わからない。頭の中が疑問符でいっぱいになり、さてどうしたものかと相手の顔を見直したとき、ハンドバッグの中で携帯電話が鳴り出した。昆虫学者を目指している少年は、やけに大人びた仕草で、出れば、というような手つきをした。そのままわたしに軽く頭を下げ、夕映えの路地を歩き去っていく。影絵になった後ろ姿が、途中でなんだか嬉しそうに歩調を速め、やがてとうとう走り出すのが見えた。

消えていく少年の背中に目をやったまま、携帯電話のフラップを開けると、表示されていたのは学校の番号だった。

「すみません、お待たせしました」

『ああ、岩槻《いわつき》です』

教頭からだ。語調が厳しい。

いまから言う場所にすぐ向かうようにと、教頭は言った。

『例の藪下朝代さんが、問題を起こしましてね』

行くように指示された、時岡《ときおか》という老人の家は、わたしもよく知っていた。先月、新聞の地域のページで紹介された家だ。その記事の主役は時岡さん自身ではなく、飼い犬だった。庭に迷い込んできた野良の仔猫に、その犬は乳をやって育てているらしい。

つい何日か前、校長が全校朝礼でその記事について話していた。

——みなさんも、人を差別したり、誰かだけを贔屓《ひいき》したり、そういったことをしてはいけないいんです。

その仔猫を今日、朝代が殺そうとしたのだと教頭は言った。

「殺そうと?」

『そう言うんです。私も本来なら行かなけりゃならないんですが、今どうしても抜けられなくて』

(三)

「植え込みの向こうから覗いてんの、わかってたんだよ。でもねえ、私としちゃ、ただ見物に来てるもんだと思ってさ。思うでしょそりゃ。新聞に載っけてもらってから、そういう人がたくさん来てくれてるし、中には子供だっていたからね」

顔面を紅潮させた時岡さんが嚙みつくように一言一言を発するたび、わたしは深々と頭を下げた。剣幕に圧《お》され、身がすくんでいた。

「だから黙って見てたんだよ、家ん中から。だってそんな、まさか石を投げてくるなんて思わないでしょ。一個じゃないよ。二個だよ」

　一個、二個のところで時岡さんは、回数に合わせて自分の拳を掌に打ちつけた。

　朝代はわたしのすぐ脇で、先ほどから一度も口をひらかずにいる。わたしたちが立っているのは時岡さんの家の庭だった。西陽の当たる縁側の、すぐ手前で、茶色い尨毛《むくげ》の雌犬が背中を低くしてこちらを見ている。両目と口元が、警戒するように緊張していた。ときおり思い出したように身を起こし、首に繋がれたロープが許す範囲を動き回って地面を嗅いでいるのは、逃げていった仔猫を探しているのだろうか。

　サンゴジュの植え込みの隙間から、朝代はいきなり石を投げつけたらしい。一つめは外れた。しかしすぐさま投げられた二つめが、驚いて身を起こした仔猫の頭に命中した。仔猫は小さく鳴いてどこかへ走った。そばにいた母親がわりの犬が鋭く吠え、家の中にいた時岡さんは縁側へ飛び出した。門のほうへ回り込むと、朝代が目の前を逃げていくところだった。時岡さんはすぐさま追いかけて彼女を捕まえたのだという。

「家の番号訊き出して、電話してみりゃ誰も出ないし。親の仕事場の番号も知らないって言うし」

　だから時岡さんは、朝代に小学校名を訊き、１０４で電話番号を調べて連絡したらしい。

「新聞の取材なんて、受けんじゃなかったよ。ほんとにそう思うよ。家の写真だって載せてもらわなきゃよかった。こんな意地の悪い子供にさ、やってこられて、石投げられて。ほんとに可哀想なことしたよ」

最後の言葉は、どこかへ逃げていった仔猫に対してのものだろう。

「大変申し訳ありませんでした。仔猫はわたしたちで探します。たぶん、そんなに遠くに——」

「いいよ、そんなの」

つづけざまに吠えるように言い、時岡さんはわたしを睨みつけた。心臓がぐっと縮まった。

「先生がそんな考えしてるから駄目なんだよ。探せばいいって、そういうことじゃないでしょうよ。その子に謝らせなさいよ、ちゃんと。さっきからいっぺんだって謝ってないでしょうが。そうやって下向いてふてくされてさ。テレビ見たり、ゲームやったり、そんなことばっかりしてるから変なふうになっちゃうんだよ」

「藪下さん、謝りなさい」

朝代にかけた声が掠れた。時岡さんが「ヤブシタ？」と目つきを厳しくしてわたしたちの顔に視線を走らせ、それから朝代のほうをぎろりと突き刺すように見た。

「木内って言っただろうがよ、お前。俺にそう言っただろうが。あれ嘘か。嘘ついて逃げようとしたのか」

誤解させてしまったらしい。わたしは慌てて説明を加えようとしたが、その前に朝代がうつむいたまま、小さな声で「木内です」と言った。時岡さんの両手の拳がさっと握られ、顔全体に力がこもった。

「どっちなんだよ！」

「あの、彼女は――」

わたしの声を時岡さんの怒号が遮った。

「あんた黙ってろよ！　この子に答えさせせんだよ」

相手の圧力に、咽喉が詰まった。空気が水底のようにしんと静まり返り、犬がのそりと動くのが視界の端に見えた。朝代は何も答えない。わたしも言葉が出てこない。時岡さんの咽喉のあたりから、ざらついた呼吸音だけが聞こえていた。

教師になったことへの後悔を、そのときわたしは全身で感じていた。それは、これまで何度も目の前をちらついていたが、意識して直視しないようにしてきた思いだった。その場からすぐにでも逃げ出してしまいたかった。小さい頃から「女の先生」を夢見ていた自分自身に、怨みの気持ちさえわいた。身体の前で重ねた両手の指が、怖さと惨めさで細かく震えた。教師として、いまどう対処すべきかはわかっているのに、声が出ない。身体が動かない。自分の存在がゆっくりと、音もなくどこかへ沈み込んでいくように思えた。

時岡さんの鋭い舌打ちが聞こえた。朝代は顔をうつむけたままでいる。前髪で隠れた部分から、不意に一筋の涙が白い頬へと流れ、顎を伝って庭の土に落ちた。唇を引き結び、朝代は静かに泣いているのだった。

「お前、嘘ついて人を欺してもな、自分のことは欺せないんだからな」

低い、怒りと諦めの混じった声で、時岡さんが言った。

「そうやって泣いて誤魔化したりしたことも、大人んなって後悔するんだからな。後悔したって、いいか、あとで悔やんだってな、いっぺん曲がったものは直せないんだぞ」

事情を誤解したまま、時岡さんはわたしたちを見捨てるように背を向けた。縁側の手前でサンダルを脱ぎ、掃き出し窓から家に入っていく。ようやく足が動き、きちんと説明しなければとその背中に近づいたとき、時岡さんが無表情に振り向いて窓を閉めた。彼の指が内側から鍵を回すのを、知らない場所に放り出された子供のように、わたしはぼんやりと眺めた。そして、心の中でこんなことを思っていた。今回のことは朝代の母親に連絡しなければならない。母親も、おそらくあとで朝代を連れてここへ謝りに来るだろう。名字の件は、そのとき母親が説明したほうがいいのではないか。——わたしの小さな責任感は、猫の子供のように、どこかへ消えていたのだった。

窓に近づき、手の甲で硝子をノックした。返事はない。玄関へ回り、呼び鈴を押してみたが、やはり反応はなかった。

すぐ背後で足音がしたので振り向くと、朝代が地面を睨みながら門を出ていくところだった。

「動物だから……何も考えないであんなふうにできるんだよ」

どうして仔猫に石を投げたりしたのかと訊くと、朝代は低い、ほとんど聞き取れない声で、そんな言葉を返した。

「あんなふうに……？」

「自分が猫なのに、犬の親に甘えたり、お腹の横で寝たり」

叱られて、怒鳴られて、気持ちが昂ぶっているせいなのかもしれないが、それでも朝代がこんなにたくさんの声を返してきたのは、きっと何か伝えたいことがあるのだろう。朝代の家に向かって並んで歩きながら、わたしは先ほどの不甲斐ない自分を恥じ、その失敗を取り戻すつもりで、彼女の言葉をゆっくりと咀嚼してみた。太陽は時岡さんの家を離れた直後に沈んでしまい、あたりにはほんの僅かな残光があるだけだ。路地の左右で、四角い窓明かりがいくつか灯った。

「お母さんに、再婚してほしくないのね？」

たぶん、そういうことなのだろう。母の再婚により、朝代には新しい親ができる。その親との関係がどんなものになるのか、きっと彼女は不安なのだ。だから、犬の親に無心に甘える仔猫に対して暗い感情を持ってしまった。時岡さんに名前を訊かれたとき、彼女が以前の名字を答えたのも、同じ理由だったのに違いない。

「お母さん、あたしのために結婚するんだよ」

一分ほども黙っていた朝代が、ようやく言葉を返した。

「あたしのこと、いい中学に進学させたいんだって。それで、もっと勉強を頑張ってもらいたいんだって。あたし、ずっと母子家庭のほうがよかった。貧乏でも、ずっと二人のほうが。中学なんて公立でいいよ。高校に行くお金がなければ、中卒でもいい」

「新しいお父さんが来て、三人になれば、きっともっと楽しくなるわ」

お金の話は、あまりつづけさせるべきではないのだろう。

「お父さんは、どんな人？」

「普通の人。お金は持ってる。お母さんが働いてるお店を経営してる人だから」

「いつから、いっしょに暮らすの？」

「明日。お母さんと二人でいるのも、だから今日が最後」

それで朝代は、あんなことをしたのだろうか。新しい父親との同居が目前に迫り、追い詰められるような気持ちがあったのかもしれない。

「来年になったら、もっと大きいとこに、また引っ越すんだって。三人で」

わたしも中学三年生のときから母子家庭で育ったが、母は再婚をしなかったので、朝代の気持ちをすっかり摑むというわけにはいかなかった。理解できるようで、本当に思いを重ねることができない。それがもどかしかった。

「お母さん、新しいお父さんとのあいだに、そのうち子供つくるんじゃないかな。まだ若いし」

「そうしたら、弟か、妹ができるわね」

なるべく喜ばしいことに聞こえるよう、努めて語調を明るくした。しかし朝代の声は沈んだままだった。

「赤ちゃんなんてできたら、お母さん、あたしのこと嫌いになると思う」

その言葉を聞き、わたしは初めてほっとした。彼女が抱えていた問題は、どうやらわたしが漠然と考えていたよりも、もう少し手近な場所にあったようだ。その場所ならば、手が届きそうな気がした。二十年と少し前、自分に弟が生まれると知ったとき、わたしの中にもすねた気持ちがわいたのを憶えている。いかにもこれからたくさんの愛情を受けそうな、可愛らしい寝顔や、危なっかしい首や、不器用な短い指に、幼い嫉妬を抱いたことも忘れていない。しかし、それはほんの短い期間だった。たしかに母は弟の世話を焼く時間が増え、わたしに構ってくれなくなったが、それでも弟が眠っているあいだなどは、まるで埋め合わせでもするようにわたしにあれこれと話しかけてくれた。

「自分の子供を嫌いになる母親なんていないわ。それは心配いらない」

しかし朝代は、こんな言葉を返した。

「自分の子供ならね」

どういう意味だろう。

わたしが横顔を見直していると、彼女は抑揚のない声でつづけた。

「あたしのお母さん、再婚じゃないよ。結婚するの初めてだよ」

「結婚が初めて……？」

虚を衝《つ》かれ、言葉を失った。意味がわからない。学校からは、朝代の両親は彼女が生まれてすぐに離婚したと聞いている。保護者から学校に提出される児童調査票にもそう書かれていた。市から学校へ送られる就学通知書のほうは、見たことがないが、両者の内容は基本的に違《たが》わないはずだ。

「あたしが学校でいじめられたり、クラスメイトから余計なこと言われたら可哀想だからって、入学するときにお母さんが校長先生にお願いしたんだって。ほんとのことは言わないようにって。クラスの人たちにも。担任の先生にも」

朝代が急に立ち止まり、こちらに顔を向けた。口元に薄笑いのようなものが浮かんでいたが、両目はいまにも泣き出しそうだった。

「あたしのお母さん、ほんとは叔母さんなんだよね。お母さんの妹なの。ほんとのお母さんも、お父さんも、みんな高速道路で死んじゃったの。生まれたばっかりのあたしだけ助かったの。それで、ほんとのお母さんの妹が、あたしのこと養女にしてくれたの。育ててくれたの」

「でも――」

言いかけた唇が固まった。何を言おうとしたのかもわからなくなり、わたしはただ彼女の顔を見返していることしかできなかった。授業で指され、答えがわからずに立ち尽くしている子供と同じだった。朝代の顔が、ぐにゃりと歪んだ。いつも表情をほとんど変えない朝代が、歯を嚙み締めて、目に力を入れて、泣き出すのを堪えているのだった。何か言わなければいけない。何かを言われたくて、朝代はいまこんなことを打ち明けたのだ。しかし、わたしの声よりも先に、朝代はくるりと身体の向きを変えて歩き出した。

追いつこうとすると、彼女は足を速めた。呼びかけたが、立ち止まってくれない。ほとんど駆け足になった彼女は、拳にした手の甲で、一度だけ乱暴に目をこすった。やがて行く手に朝代のアパートが見えてきた。明かりのついている窓はほとんどない。彼女はスカートのポケットから鍵を取り出しながら、手摺りの錆びた外階段を一気に駆け上った。部屋のドアを開け、暗い玄関へ飛び込んだとき、ようやくわたしは追いついたが、ドアは目の前で大きな音を立てて閉じられた。直後、内側から鍵を回す音がした。

「藪下さん……開けて」

荒くなった息の合間に声をかけると、

「先生、ごめんなさい。迷惑かけて」

くぐもった返事があった。その声が、能力以上のことをやらせようとしてごめんなさいと、わたしには聞こえた。鼻の奥にじわりと痛みが走った。時岡さんと朝代——ずっと年配と、ずっと年少の二人から、わたしは同時に無力を指摘され、同時に諦められたのだった。

「藪下さん……」

それきり、返事はなかった。

自分の呼吸が浅く、速くなっていくのがわかった。空気をたくさん吸い込むことができず、左手の指先を冷たい金属のドアに触れさせたまま、あえぐように顔を上に向けると、ドアの脇に貼られた白いプレートが目に入った。手書きの女文字で「藪下」と書かれている。

——動物だから……何も考えないであんなふうにできるんだよ。

きっと、必死の言葉だったのだろう。いまさらながらそう思った。仔猫に石を投げたのも、彼女なりの必死の行為だったのだろう。血を受けていない母親との生活の中へ、血のつながりのない父親がやってくる。どれほどの複雑な思いが、小さな胸で渦巻いていたことか。それをわたしは簡単に解決できるものと勘違いし、「女の先生」の真似をして、優しいつくり笑顔で終わらせようとした。これでも教師と呼べるのだろうか。小さい頃から夢見ていた「女の先生」は、本当は世の中にいくらでも実在していて、わたしがただそれになれなかっただけなのではないか。わたしだけ上手にできていないだけなのではないのか。

頭の奥に、いつのまにかまたあのイメージが浮かんでいた。

白い光が遠くに見えている。見えているのに、しかし、視界の中にある実際の景色は暗くなっていく。白い光を意識するごとに、現実の風景が暗さを増していくのだった。あの光は何だ。景色を暗くする光など見たくなかった。わざと両目を大きくひらき、無理に息を吸い込んで、呼び鈴を押した。

やはり、返事はない。

携帯電話が鳴った。外階段の踊り場で出てみると、教頭だった。学校へ戻ってきて、その後の顚末《てんまつ》を説明するよう指示された。

アパートを離れ、少し進んでから振り返ったとき、朝代の暮らす建物が、夕闇の中でじっとうずくまっているように見えた。朝代がわたしを諦めたのではなく、本当はわたしが朝代のことを諦めたのではないか。そんな思いが胸にきざした。しかし、学校へ戻らなければならない。教頭に説明しなければならない。

学校へ向かう途中、アカトンボが揺れていたあの場所を通った。門灯が弱い光を投げかけている車のボンネットを見ると、白くてつやつやしていたアカトンボの卵たちは、みんな茶色く干涸《ひか》らびていた。親の姿はもうどこにもない。そんな光景さえ、自分のせいのような気がした。

時岡さんの家での出来事を教頭に説明し、朝代の家族関係のことを訊いた。

「校長の判断でね、お母さんの申し入れは受け容れることにしたんですよ。学校側としては、せめて担任は事実を知っておいたほうがいいと説明したんですが、どうしてもということだったので」

しかし教頭は、朝代の一年次から三年次を担任した教師たちには、じつは内密に話したのだとも言った。

「でも、わたしはまったく――」

「あなたは、まだ新しい人だから」

掌の付け根で額をとんとんと叩きながら、教頭は穏やかに遮った。

「家庭訪問だとか、面談のときに、つい母親に話してしまうということもあるかもしれないでしょう。そうなると、学校が約束を破ったなんて言われかねないですからね。それにほら、あなたはクラスを担任するだけでも大変だろうし」

要するに、校長や教頭が、わたしを信頼できなかったというだけのことだった。わたしには荷が勝つと思っていただけのことだ。胸に、心臓を握り締められるような鈍い痛みを感じた。会話の途切れを紛らわそうとしたのか、教頭はゆっくりと右手を持ち上げてネクタイを撫でた。

朝代の母親の帰宅を待って家に電話をかけた。

教頭の指示で、家族関係のことは何も言わなかった。朝代の母親は、これからすぐに時岡さんの家まで謝罪に行くと言った。自分ももう一度いっしょに行きますという言葉が、胸に込み上げたが、しかしそこでしぼんで消えた。言葉が消えた胸は冷たかった。静まりかえった夜の職員室に、受話器を置く音が大きく響いた。暗くて濁った思いが、殺風景で無機質な部屋全体に、ゆっくりと立ち籠《こ》めていく。じっとデスクに向かったまま、わたしはコップの縁を越えて盛り上がり、少しでも量が増えたらこぼれてしまう冷たい水を思った。

その日、わたしは初めて教師を辞めることを意識した。


重たい両足を動かして帰りの路地をたどっていると、民家の黄色い窓から、食事の支度でもしているのだろうか、鍋かフライパンの音が聞こえてきて、どうしてかそれがひどく遠々しいものに思えた。途中、すっかり失念していた朝代の新しい氏名印のことを思い出し、角を曲がって印章店に向かったが、もう店の明かりは消えていた。

あれもこれも、うまくいかない。

目を伏せたまま、来た道を戻ろうとしたとき、どこからか微かな歌声が聞こえてきた。

幼い少女のような声だが、大人が歌っているようにも聞こえる。歌の響いてくるほうへ、そっと足を向けてみると、住居を兼ねた印章店の、小さな庭に面した掃き出し窓に明かりがついていた。その明かりにぼんやりと照らされて、人影が立っている。塀のすぐ向こう側にいるその人影は、子供の頃に絵本で見た、ブレーメンの音楽隊を思わせた。驢馬《ろば》と犬と猫と鶏が重なり合い、一匹の大きな動物のようになった、あの凸凹《でこぼこ》の姿。

人影は、一人ではなく二人だった。誰かが、誰かを負ぶっているのだ。少女のような声で小さく歌っているのは、負ぶわれている老婆だった。まるで父親に甘えるように、初老の男性の首に両腕を回して歌いながら、目の前で揺れる竹の枝葉を見つめている。いや、あれは笹だろうか。暗くてよくわからない。とにかく、老婆はその枝葉の一点をじっと見つめて歌っているのだった。

やまの　はたけの　くわのみを
こかごに　つんだは　まぼろしか

老婆には、あの枝の先にアカトンボが見えているのだろうか。彼女を負ぶった男性は、歌の一節一節にそっとうなずきながら、やはり同じところをぼんやりと見つめていた。

（四）

翌朝、朝代の母親から学校に電話があった。昨夜あれから時岡さんの家まで謝罪に行ったのだが、朝代がまったく頭を下げようとせず、口も利こうとしないので、余計に相手を怒らせてしまったと彼女は言った。息をするだけの気力しかないところに、無理に言葉を乗せているような、掠れて弱い声だった。

その日、わたしは三度、朝代に話しかけた。時岡さんの話題は控え、一度目は音楽の授業の話、二度目は給食の話。どちらのときも、朝代はろくに言葉も返さず、自分の机の上から視線を上げようともしなかった。

「少しだけ、話がしたいの」

三度目、ホームルームの開始前にそう言って、これが終わったら教室に残るよう指示した。このときも返事はなかった。ホームルームの終了とともに朝代は立ち上がり、教室を出ていった。追いかけて廊下に出ると、生徒たちのあいだを抜けて足早に去っていくランドセルが見えた。もしかしたら、どこかで気持ちを落ち着けてから戻ってくるつもりなのかもしれない。そんな身勝手な期待をし、教室でしばらく待ってみたが、朝代は現れなかった。

ところが、それから一時間ほどの後、思わぬ場所で会うことができた。

どうしても朝代の氏名印が必要になり、学校を出て昨日の印章店へ向かっているときのことだった。

民家の植え込みの前で、朝代が庭を覗き込むようにしてじっとしゃがんでいる。右手に……何かを握っている。それが石であることが即座に想像された。今度はいったい何をするつもりなのか。何に石を投げるつもりなのか。——わたしが声をかける前に、朝代は立ち上がった。首を垂れ、とぼとぼと路地を歩いていく。そうかと思えば、二軒先の、やはり民家の植え込みの前で、またしゃがみ込むのだった。右手に何かを握り込んだまま。左手には、カラフルなデザインの袋を摑んでいる。真ん中に猫の写真がプリントされている。

彼女がいったい何をしているのか、ようやくわかった。

「……仔猫を探してるの？」

驚かせないように、そっと声をかけたのだが、朝代はびくりと身体ごと振り返り、わたしを見上げて咽喉を緊張させた。

「探してるのね」

朝代が右手に握り込んだものが、指の隙間から僅かに見えた。茶色い粒状のもの。キャットフード。わたしに向けられた朝代の目が、睨みつけるように強くなった。その直後、もっとずっと幼い子供が叱られたときのように、悔しそうに、哀しそうに崩れた。何か言おうとして唇がひらかれ――しかし、わたしの声のほうが先だった。

「いっしょに、探してもいい？」

つい口をついて出た言葉だった。教師としてのものではなかった。何をやってもうまくいかず、時岡さんにきちんと謝罪することもできず、だからせめてわたしも、朝代のように逃げた仔猫を探したいと思った。ひらきかけていた朝代の唇が、ふっと閉じられ、眉のあいだに怪訝《けげん》そうな小さな皺が浮いた。小学四年生の生徒に対して、まるで頼るようにお願いをする教師を、奇妙に思ったのかもしれない。

「先生にも、それ、分けてくれる？」

朝代はしばらく袋を見つめていたあと、短い仕草でうなずいた。

仔猫を探すべく、わたしたちは右手にキャットフードを握って路地を歩いた。門や駐車場や植え込みの隙間から庭を覗き込んでは、それぞれに肩を落としてつぎの家の庭先へ移動した。ぐるぐると歩いた。徐々に時岡さんの家のほうへと向かっていき、今度はそこを中心に、近くの家々を覗き回った。朝代はずっと無言だった。わたしも何を話せばいいのかわからなかった。そのうち、右手に握ったキャットフードがふやけてきて、二人してそれを袋に戻し、新しい一握りを掴んだ。

「あたしも、こうやって探されたことあるよ」

不意に、朝代が自分の手元を見つめながら言った。

「幼稚園のとき、家出したの。お母さんが、ほんとはお母さんじゃないってわかったとき。親戚の集まりとかで、みんなの話聞いてるうちに、なんか変だなって思うようになってきて、だからお母さんに訊いたの。そしたらお母さん、ちょっと迷ったみたいだったけど、嘘つかないで話してくれた。いつか話さなきゃって思ってたんだって。ただ、話すタイミングがわからなかったんだって。その話が終わってしばらくして、お母さんが晩ご飯つくりに台所に行ったとき、あたし出てったの」

歩きながら、朝代は右手のキャットフードを嗅いで顔をしかめる。

「これ、くさいね」

くさいね、とわたしが答えると、少し笑った。

「お母さんは、キャットフードじゃなくて、猫を持ってあたしのこと探したんだよ」

「猫？」

「ぬいぐるみ。お母さんが買ってくれたやつ」

太陽が傾いてきた。風に、まだ深まっていない秋のやわらかさがあった。

「あたし、アパートのすぐ近くの公園に隠れてて……一人だと怖いから、そこ以外に行けなくて、ゾウの滑り台の、からっぽになった頭の中にいたの。そしたら、お母さんがあたしのこと呼びながら公園に入ってくるのが見えた。あたし、帰らないつもりだった。どこに行くとか、何するとか、ぜんぜん考えてなかったんだけど、もう家に戻りたくなかった。でも、お母さんが猫を持ってるのが見えて、ほんと馬鹿みたいなんだけど、すぐ滑り台から出てった。お母さん、すごい泣いてた」

右手を軽くひらき、朝代は臭いのするキャットフードを覗き込んだ。

「いつも食べてるやつとおんなじじゃないと、寄ってこないかな。昨日のおじいさんに、種類、訊いとけばよかった」

「同じやつじゃなくても、きっと平気よ」

猫のことはよくわからないが、そんな気がした。幼稚園の頃に家出をしたという朝代も、母親が持っていたのが見慣れたぬいぐるみではなく、たとえばどこかで買ってきたものだったとしても、滑り台から降りていったのではないか。

「仔猫って、どんなとこに行くのかな」

「先生も、飼ったことがないからわからないわ」

「見つかるかな」

「見つかるわよ」

しかし、見つからなかった。わたしたちはそれから四度、手の中でキャットフードをふやけさせ、四度、新しいやつを握り直した。秋の日はみるみる暮れ、やがて首もとが涼しくなってきた。

　夕陽に染まる路地の角で、朝代が立ち止まった。しばらく何かをじっと考えていたかと思えば、その角を曲がって、どこかへ向かって真っ直ぐに歩いていく。その先にあるのは時岡さんの家だった。わたしは何も言わずに追いつき、並んで歩いた。時岡さんの家が近づいてくるにつれ、うつむきかげんの朝代の横顔がだんだんと緊張してくるのがわかった。

「あたしが謝るとき、先生、何も言わないでいてくれる？」

　そう言われ、わたしは朝代が何をしに行くのかを知った。

「わかったわ」

「でも横にいてね」

「いるわよ」

　わたしたちは時岡さんの家のドアの前に立った。呼び鈴を押したのは朝代だった。その右手にはまだキャットフードが握られている。ドアの向こうから返事はない。朝代はもう一度呼び鈴を押したが、やはり反応はなかった。かわりに、庭のほうで、昨日の犬が一声吠えた。

「どっか、出かけてるのかな」

「そうみたいね。買い物か――」

言いかけて、言葉を呑んだ。朝代が訊ねるように顔を向け、わたしはその顔を見て、それからまた地面に目をやった。

いた、ここに。わたしたちは何て間が抜けていたのだろう。

「あれ？」

朝代がわたしの視線を追って声を裏返し、サッとしゃがんで右手を突き出した。仔猫はぴくりと耳を動かしながら僅かに後退したが、すぐに首を突き出すと、その首に引っ張られるようにして、もそもそと朝代の右手に近づいていった。匂いを嗅いだ。少し途惑った。また嗅いだ。そして食べはじめた。

胸の中に張りつめていた感情を吐き出すように、朝代は長い息をついた。わたしも彼女の隣にしゃがみ込んで、同じように息をついた。

「怪我は……大丈夫みたいね。よかった」

触れると逃げてしまいそうだったので、首を伸ばして仔猫の頭や顔を覗いてみた。見たところ、傷は残っていないようだ。猫のくせに垂れ目で、あまり見栄えはしないが、愛嬌のある顔をしていた。

「石、当たってないもん」

手の上のキャットフードを食べさせながら朝代は言う。

「……どういうこと？」

「昨日の石、当たらなかったの。二つとも。おじいさんには、当たったように見えたのかもしれないけど」

そうだったのか。

「でも、けっきょく同じことだけどね。投げたんだから」

「同じことだと思ったから……昨日、叱られているときに、石が当たらなかったことを言わなかったの？」

訊くと、朝代は仔猫に目をやったままうなずいた。この家の庭で、唇を結んで静かに泣いていたあのとき、彼女はすでにきちんと反省していたのだ。

「あたし、もうちょっと喋る練習しようかな」

そんなことを、朝代はぽつりと言う。しばらく考えて、わたしは答えた。

「気持ちを伝えるには、そのほうがいいかもしれないわね。でも、いまぐらい喋れれば、平気だと思うわ」

「いつも、こんなに喋れないもん」

そう言ってから、朝代は唇を閉じて、いまや夢中になってキャットフードを食べている仔猫をじっと見つめた。

「新しいお父さんとも、まだちゃんと話できてないし」

それからしばらく二人で待ってみたが、時岡さんは帰ってこなかった。

日が落ちてきたので、仕方なくわたしたちは玄関先を離れた。お腹がいっぱいになったらしい仔猫は、満足そうに庭へ戻っていった。

朝代のアパートに向かって歩いている途中、まだ家に帰りたくないと彼女が言い出した。

「今日から、新しいお父さんがアパートに来てるでしょ。荷物の片付けとか、手伝わされるの面倒だから」

嘘が上手くないんだなと思った。片付けを手伝わされるのが面倒というのが本心でないことは、語調からすぐにわかった。とはいえ、彼女が家に帰りたくない本当の理由は何かと問われても、はっきりと言い当てることはできない。ただおぼろげに、その理由が身勝手なものではないことが感じられるくらいだった。

どうしようかと考えているうちに、すっかり忘れていたことを思い出した。

「いっしょに、判子屋さん行こうか」

「判子屋さんって？」

「注文してた判子を受け取りに行くの。あなたの、新しい判子」

「藪下っていう？」

「そうよ。お母さんには、わたしから電話して、もう少しだけ遅くなるって言っておくわ」

しばらく足下を見下ろしていた朝代は、やがて顔を上げ、「先生っていろんな仕事があるんだね」と言った。

（五）

店にはまだ明かりが灯っていた。『遠沢印章店』と書かれたガラス張りの引き戸を開けると、ショーケースを兼ねたカウンターの向こうで顔を上げたのは、昨日庭にいた男性だった。ここの店主だったようだ。

学校名と用件を告げた。

「ああ、氏名印ですね」

一日の仕事も終わりに近づき、疲れているのだろうか。店主の物腰は年齢のわりにはゆっくりだった。朝代はわたしの隣で、物珍しそうに店の中を見回している。

男性がスチール製のキャビネットを探り、注文用紙らしきものを確認していたとき、お父さあん……。

店の奥から声がした。カウンターのすぐそばにいたわたしには聞こえたが、ちらりと振り返ってみると、朝代には聞こえなかったようだ。

小さな息を一つつき、店主が表情のない顔を上げた。

「少しだけ、待っていてもらっても構いませんか？」

わたしがうなずくと、キャビネットの引き出しを開けたまま、声のしたほうへと下がっていく。

「お店の人、どこ行ったの？」

朝代が傍らに来て爪先立ちになり、店の奥を覗いた。

「ちょっと家の人が呼んでいたから、そっちへ行ったみたい」

「お客さんを放《ほ》っといて？」

「仕方ないわ。小さな、娘さんの声だったから」

そう言ったが、嘘だった。いや、ある意味では本当だったのかもしれない。先ほどの声――幼い少女のようなあの声は、昨夜、庭先で「赤とんぼ」を歌っていた老婆のものだった。

「あの人の娘さんなのに、まだ小さいんだ」

「そうみたいね」

「もしかしたら、あの人も再婚だったりして。だって、歳がちょっと合わないもんね」

朝代は大人びたことを言い、しかし悪戯っ子のように口元だけで笑った。それからまた店内をきょろきょろと見回しはじめる。店主がいなくなって大胆になったのか、出入り口の脇にディスプレイされている石の印鑑を手に取ったりしている。店の奥からは、老婆の可愛らしい笑い声と、男性のぼそぼそと話す声が、微かに聞こえていた。

「再婚って、どうなんだろうね先生」

爪の先で四角い印鑑をこつこつと叩きながら、もう朝代はこの店の主《あるじ》が再婚であることを確信しているような口調だった。自分の家の事情と、つい重ねてしまうその気持ちは、わたしにもわかる気がした。父が死んでからしばらくのあいだは、日曜日の町で子供が母親と歩いているのを見かけただけで、もしかしたらあの家にも父親がいないのかもしれないなどと考えたのを憶えている。

「わざわざ子供のいる女の人と結婚するんだから、それだけ好きってことなのかな」

「きっと、そうだと思うわよ」

朝代は印鑑をケースに戻し、別のやつを覗き込んでいた。

「血のつながってない娘って、どうなんだろうね」

朱肉のついていない印鑑の先を、自分の掌にぽんぽんと押しつけて、朝代は曖昧な訊き方をする。わたしが意味を訊ね返す前に彼女はつづけた。

「あたしも、あんなふうになれるかな」

「あんなふうって?」

「仕事中なのに、お父さんのこと呼んだんでしょ。あたしも、あんなふうになれたらい

いなって。新しいお父さんと。怒られてもいいから、ちょっとしたときに、ねえねえっ
て呼べるような感じになれたら」
そのとき、気配に気づいて背後を振り返ると、カウンターの向こうに、いつのまにか
店主が戻ってきていた。ぼんやりした目で、何も知らずに喋りつづける朝代のほうをじ
っと見ている。はっとして彼女を呼ぼうとしたら、店主が素早く手を伸ばしてわたしの
肩に触れた。反射的に声を止めた。何も言わないでくれと、店主の目が訴えていた。
「お父さんが優しいからなのかもね。お父さんが、ほんとの娘みたいに可愛がってるか
ら、相手も安心するのかもね。べつにほんとの娘じゃないって決まったわけじゃないけ
どさ。あたしの新しいお父さんも、あんな――」
振り向いて、ようやく朝代は気がついた。店主を見て口を閉じ、顔を硬くする。
「すみません、勝手なことを」
わたしが急いで口にした謝罪を、店主は「いえ」と静かに遮った。手に持っていた小
さな紙袋をカウンター越しに差し出してくる。中には朝代の氏名印が入っていた。
「こちらこそ、お待たせしてすみませんでした」
何かを思うように、店主の目は自分の手もとに向けられていた。
一礼してカウンターを離れた。朝代を連れて店を出ようとしたとき、背後からありが
とうございましたと言われた。ちょっと振り向いて会釈をすると、店主は朝代に目を向

けていた。そのときの彼の眼差しは、わたしがそれまで誰の目にも見たことのないものだった。哀しげではあるのだが、喜怒哀楽では説明しきれない何か強いものが溢れていて、うっすらと瞼の縁が濡れているようにも思えた。

店を出て、しばらく歩いてから振り返ると、暗がりにぽっかりと切り抜いたような四角い明かりだけが浮かんでいて、店主のいるカウンターはもう見えない。

（六）

「あたしさっき、何でじっと見られてたのかな」

星が出ていた。

「おじさん、怒っちゃったのかな」

「さあ……先生にもわからない」

あたりは静かで、歩調も重さも違うわたしたちの靴音が、民家の壁や暗いブロック塀に跳ね返って響いた。

アパートへ向かって歩いていると、朝代がこんなことを言う。

「あたしね、もしお母さんたちのあいだに新しく子供ができるんなら、弟がいいんだ」

「弟、可愛いわよ」

朝代がこちらを見ないので、わたしも前を向いたまま言葉を返した。

「もし弟ができたときは、『赤とんぼ』の歌みたいに負ぶってあげたら、きっとあとで素敵な思い出になるわ」

頭の隅で、印章店の「親子」のことを思いながら言った。

昨夜の二人のように、朝代の背中に小さな男の子が無心に抱きついている様子を思い浮かべてみる。彼女たちも、いつかああして二人で同じ枝先を見つめることもあるかもしれない。背中から聞こえる歌声に、朝代もそっとうなずいてやっているかもしれない。

わたしは弟と三歳しか違わないので、ままごと気分でやってみたのを抜かせば、弟をちゃんと負ぶったことは一度もない。少しだけ、朝代がうらやましかった。

「おんぶか……」

言ってから、ふと朝代は眉根を寄せた。

「何で『赤とんぼ』なの？」

不思議そうにこちらを見る彼女の目に、街灯の光が映った。

「なんとなく」

彼女は短く笑っただけで、それ以上訊ねてはこなかった。

並んで路地をたどっているうちに、隣から聞こえてくる朝代の足音が、どこかとぼとぼとしたものに変わっていった。おや、と思って横顔を見てみると、彼女は自分の足先を見つめたまま、なんだか寂しそうな目をしている。

「あたしは『赤とんぼ』の歌みたいに、ほんとのお姉さんじゃないけどね」

つい微笑んでしまった。

「そんなこと考えてたの？」

朝代はむっとしたようにこちらを見たが、しかし今回ばかりはわたしの得意分野だ。自慢じゃないが、童謡についてはちょっと詳しい。

わたしは教えてやった。

「あの歌だって、そうよ。『ねえや』は本当のお姉さんじゃないわ」

「そうなの？」

「詞を書いた人が、子守娘に育てられたんですって。だから『ねえや』は、その子守娘のことなの」

ふうん、と朝代は星のほうを見た。

「じゃあ、あたしも負ぶってあげようかな」

どれか一つの星を眺めているのではなく、すべてを視界におさめているような横顔だった。

わたしも朝代の真似をして、空に顔を向けた。

「あの歌の『ねえや』みたいに、もし十五でお嫁に行っちゃうとしたら、早く弟ができてくれないといけないわね」

「何で？」

「だって、十五歳まで、あと五年しかないでしょ」

お嫁に行ったら、きっといろいろと忙しくなって、実家にもなかなか帰ってこられなくなる。そうなると、可愛い弟を負ぶう機会も減ってしまうだろう。もっとも、いまは十五歳で結婚することなどできないので、本当にあと五年というわけではないが。

わたしの言い方が、どこかおかしかったのだろうか。朝代の返事がないのでそちらを見てみると、彼女はまるで何か難しい問題でも解くように、宙を睨んでいた。

「え！」

急に声を上げて振り向く。

「あれって、自分が十五歳のときに『ねえや』がお嫁に行ったんじゃないの？」

え、と今度はわたしが驚いた。どうやら朝代は歌詞の意味をことごとく勘違いしていたようだ。思わず笑いが込み上げ、それは違うと言おうとして、しかし一応、頭の中で『赤とんぼ』の歌詞をさらってみたら――。

じゅうごで　ねえやは　よめにゆき
おさとの　たよりも　たえはてた

わたしも朝代と同じく首をひねることになった。

「……どうなのかしら」

「どうなんだろうね」

「考えたこともなかったわ」

「わかんないね」

そう言ってから、朝代はまた星を見上げた。

「なんか、わかんないことばっかりだね」

本当に、わからないことばかりだ。

それからは二人で黙って歩いた。朝代のアパートまでもう少しで到着するという頃、彼女が静かな声でこんなことを訊いた。

「先生、景色が光るのって見たことある？」

意味を摑みかね、目だけで訊ね返した。そうしながら頭に浮かんでいたのは、近頃頻繁に見える、あの奇妙なイメージだった。わたしが天井を見上げていて、その天井も、壁も、窓も光っている。耳の後ろで金属同士がぶつかり合う音がしていて、すぐそばで何かが動いている気配があり——。

「あたしね、今日、そんなふうに見えたの。景色が。ほら、学校で、先生が話しかけてきてくれたでしょ。昨日の猫のことじゃなくて、音楽の授業のこととか、給食のことかで。そのあと、猫を探してるときも、先生いっしょに探してくれたでしょ。先生と二人で、キャットフード持って歩いてるうちに、なんかちょっとずつ、景色が光って見えてきて」

上手く説明ができないというように、朝代はいったん口を閉じて眉を寄せた。

「あたし、いつもぜんぜん喋れないのに、猫を探しながら先生と歩いてるうちに、いつのまにか喋ってて、それに自分でも驚いたんだ」

また、眉を寄せてからつづける。

「そのうち、だんだん日が暮れて、暗くなってきたでしょ。ほんとの景色は暗くなっていくのに、なんか、逆に光ってくる気がした」

しばらく、朝代は黙り込んだ。その沈黙が今度は、説明が上手くできないもどかしさによるものではなく、何か言いたいことがあって、それをためらっているのだということがわかった。わたしは彼女が口をひらくのを待った。

「だから、家に帰りたくなかったの。家に帰って、光ってるのが消えちゃったら、哀しかったから」

言葉足らずの朝代の話だが、わたしには真っ直ぐに伝わった。

自分自身が、やはり同じように景色が明るく光るのを——すべてが光るのを、見たことがあると思い出したからだ。そしてその光を、いつのまにか見失っていたことに気がついたからだ。

いま、ようやくわたしは答えを見つけていた。

頭の奥、遠くに見える光――あの白い光は、わからないことばかりの、この世界だったのではないか。窓から太陽など射し込まないでも、天井の明かりが灯っていなくても、かつて世界は十分に光っていた。わからないからこそ光っていた。わたしはこんな想像をしてみる。あれは、ある朝のことだった。何でもない、ただの平凡な朝の光景だった。わたしは布団の中で目を覚ます。耳のすぐ後ろ、枕の向こうに、階下で父と母が店の仕込みをする音が聞こえている。もうすぐわたししたちを起こしにやって来る。わたしたちというのは、わたしと、すぐそばでもぞもぞやっている小さな弟だ。寝そべったまま天井を見上げ、身体の中に疼くような喜びを感じながら、わたしは考える。今日は何が起きるだろう。どんなふうに過ごそう。何をしよう。

いつから、あの白い光は消えてしまったのか。

いや、本当は消えてなどいないのかもしれない。世界は何も変わっていないのだから。変わったのは、たぶんわたしのほうなのだろう。いつだって変わってしまうのは人間のほうなのだ。ボンネットに卵を産みつけるアカトンボを、きっと人も笑えない。思い出でしかない光を見て、その上で揺れてばかりいる。現実はもっと明るく光っているということを忘れてしまう。

もう遅いのだろうか。

それとも、いつかまた、あんなふうに世界は光ってくれるのだろうか。

「いまなら、家に帰っても平気？」

朝代に訊くと、

「平気」

彼女は間を置かずに答えた。それから少し不安そうに、しかし目的地の光を見るように、小さく顎をそらして夜の向こうに目をやった。

「おじいさん、明日はいるかな」

「時岡さん？」

「そう。あたし、やっぱりちゃんと謝りたい」

「それがいいわね。先生も行くわ」

「ほんとは石が当たらなかったって、言っていいと思う？」

「いいと思う。藪下さんは？」

少し考えて、朝代は答えた。

「いいと思う」

秋の夜風が吹き、わたしたちは互いに髪を押さえた。

その風の中に、何か白い花弁のようなものが舞うのが見えた。

「先生、蝶」

朝代が声を上げ、弾むように二、三歩駆ける。白い蝶は逃げるように、ふざけるように、闇の中で炯る翅を動かして、ひらひらと高いところへ昇っていく。その姿を追っていると、やがて街灯の光が眩しく目に飛び込んできて、つぎの瞬間、蝶はもうどこにも見えなくなっていた。

いつのまにか、わたしは蝶の消えた先に目をやったまま立ち止まっていた。朝代も、わたしの少し先で足を止め、黙って上を向いている。

あの蝶は、いったいどんな景色を見てきたのだろう。光に満ちた景色だろうか。暗くて哀しい風景だろうか。

光ったり翳《かげ》ったりしながら動いているこの世界を、わたしもあの蝶のように、高い場所から見てみたい気がした。すべてが流れ、つながり合い、いつも新しいこの世界を。どんな景色が見られるだろう。泣いている人、笑っている人、唇を噛んでいる人、大きな声で叫んでいる人――誰かの手を強く握っていたり、何かを大切に抱えていたり、空を見上げていたり、地面を真っ直ぐに睨んでいたり。

どうしてか、急に涙が込み上げた。泣いてはいけない。泣く理由などない。慌てて目を閉じようとしたそのとき――。

視界の中いっぱいに、街灯の光が広がった。
白く、眩しく。
その光の懐かしさに、わたしは目を閉じることを忘れた。
溢れた涙が、頰を伝った。

解説――「長い目」の作家の祈り

玄侑宗久

初めて道尾さんに会ったのは、池袋だった。そのとき彼は私の講演を聴きにきた聴衆の一人で、サイン会に並んでくれた挙げ句、「ミステリーを書いています」などと控えめな自己紹介をした。

正直なところ、私はまだ彼の名前を知らなかった。しかし彼と別れたあと、なぜかすぐにその作品を読んでみたいと思った。まだ風の冷たい季節で、初めて読んだのは『背の眼』だった。

特にミステリー小説を読む習慣はなかったのだが、あたりまえのように『向日葵《ひまわり》の咲かない夏』を読み、『シャドウ』、『ラットマン』と進んだ。要するに道尾秀介にハマッテしまったのである。

純文学系の編集者は彼をよく知らない人が多く、私は自分のことを棚に上げ、そのことをとても不思議に感じるようになっていった。担当の編集者に会うと、彼を知っているかどうかを訊《き》き、知らなければ決まって小説を読むよう勧めた。私が勧めた編集者がすぐさま彼にハマリ、逆に私に教えてくれたのが「流れ星のつくり方」だった。これは短編だが、私には少々ショックな作品だった。

ミステリーとかホラーといった括《くく》りに、さほど意味があるとは思えなかったが、私はこの短編を読んだとき、まるで表現すべき内容じたいが慎重に選び取ったような、かけがえのない方法を見せつけられた気がした。彼はそして、方法そのものに興味があるわけではない、とでもいうように、ほどなく頭に何の冠もつかないただの「小説」を書くようになっていったのである。

もともと道尾さんの文章は、読んでいて気持ちがいい。鋭利な刃物で音もなく笹《ささ》の葉に刻みが入れられ、細い指先が手品のようにそれを笹舟に仕上げていく。笹そのものをじっと見ていたはずなのに、いつのまにか笹舟の浮かぶ川の上流や下流、そして対岸までも見せられてしまう。これもおそらく、彼にはごく当たり前の芸当なのだろう。

しかし問題は、いったい対岸のなにを見せたいのか、ということだ。いつもそこには新たな人間の関係があった。それはたぶん、彼が自分の変化に忠実だということではないだろうか。一作書けば作家は必ず変わる。だから私は、いつだって彼の変化が知りたくて次の本に読み進んできたのである。

『光媒の花』を読み終えたのは、ちょうど私の『アブラクサスの祭』の映画が完成し、試写会のために上京する直前だった。私はその頃やはり連作短編集『四雁川流景《しかりがわりゅうけい》』を上梓《じょうし》しており、その類似性に驚いてもいた。「四雁川」が流れる町の「流景」というわけだが、「流景」とは「輝く光」または「過ぎ去った日々」といった重層的な意味をもつ。『光媒の花』というタイトルは、私のなかでは明らかに「流景」に重なっていた。

試写会が始まるまえのほんの短い時間だったが、私は道尾さんに『光媒の花』の感想を述べたと記憶している。たしか「春の蝶《ちょう》」のラストがとてもよかった、というようなことを話したのではなかっただろうか。

およそ、連作短編集への感想としては、不備どころか失礼でさえあるだろう。それから私は、その不備を補うように、いくつもの短編をどの程度重ねるべきかで自分はとても迷った、という話をした。迷った挙げ句、同じ川が流れ、同じ景色があること以外、人間は重ねないことにした。そう申し上げたような気がする。

もとより意図の違う連作であったわけだが、私は『光媒の花』の六つの短編を読み進めながら感じた微《かす》かな戸惑いを、隠せなかった。

おそらくそれは、六篇の物語がそれぞれ独立して持っている鮮烈な空気のせいなのだろう。私には、たとえば「春の蝶」の由希を轢《ひ》きそうになったトラックが、「風媒花」の亮によって運転されていたことはまだ諒解《りょうかい》できる。しかし「冬の蝶」のサチを、「春の蝶」のサチに重ねようとすると、どうしても空気が分離してしまうのだ。もしかするとそれは、中学二年から数年のブランクを想像に任されてしまった読者の、単なるわがままな不満だったのかもしれない。

しかし一度そんなふうに感じてしまうと、「遠い光」の最後で印章店がきっちり出てくるのも強引な円環づくりに見えてしまう。やり方がスマートなため目立ちにくい手腕だが、誰にでもできることではないだけに、はたしてこの作品集にとってどれほど有効だったのか、私は判《わか》らなくなってしまったのである。

第六章の「遠い光」で、語り手の「女の先生」の思いが綴《つづ》られる。

光ったり翳《かげ》ったりしながら動いているこの世界を、わたしもあの蝶のように、高い場所から見てみたい気がした。すべてが流れ、つながり合い、いつも新しいこの世界を。どんな景色が見られるだろう。泣いている人、笑っている人、唇を噛んでいる人、大きな声で叫んでいる人——誰かの手を強く握っていたり、何かを大切に抱えていたり、空を見上げていたり、地面を真っ直ぐに睨《にら》んでいたり。

おそらくここには、連作を円環に繋《つな》げる作者の意志が強くはたらいている。『光媒の花』全体の、それは柔らかだが強い主張でもあるだろう。しかし愚かな読者である私は、最初のときは気づかなかった。すべての物語にごく自然に飛んでいた白い蝶に思い至ったのは、二度目に通読したときだ。

ギリシャ語で蝶を表すプシュケという言葉は、もともと「魂」を意味する言葉だった。それは、同じ道を辿《たど》るという「蝶の道」に、ギリシャ人が気づいたからだろうか。さまようかに見えながら、じつは蝶にだけ見える光が、彼らを間違いなく先導してくれるのだろうか。

かつて世界は十分に光っていた、そう、作者は書く。しかしいつしかその白い光が見えなくなってしまったために、人々は哀しく暗い世界に佇《たたず》み、泣いたり叫んだり、地面を睨んだりするのだろう。

そうであるなら、六篇をつなぐ蝶、いや、蝶だけに見える光こそ、道尾秀介の祈りではあるまいか。「光媒の花」とは特定の人間のことではない。誰もがそうあってほしいと、作家が名づけた人間そのものの別称なのである。

いつしか強引に見えた円環は気にならなくなっていた。所詮、蝶の道や白い光など、普通の人間に見えるはずもないではないか。

話は変わるが、道尾さんはとても目が長い人である。「長い目で見る」というけれど、私は彼に会って思わずその言葉を憶《おも》いだした。むろん古典的な字義どおり、穏やかに遠くを見据えている印象も確かにある。わざわざあれだけの紆余曲折《うよきょくせつ》を作りだし、なおかつ着実に伏線を成就させるのだから、長い目でなければ書けない作品ばかりだ。しかし私が申し上げたいのはそういうことではなく、彼の目が実際、とても横に長いということだ。

ふと思いつき、「仏の三十二相」を調べてみたが、目についてそのような瑞相《ずいそう》は見当たらない。睫毛《まつげ》が長く整っている「瀟睫相」はあるものの、それは「牛眼」に続く形容だからちょっと違う。

なぜそんなことを言いだしたのかというと、どうも彼のあらゆる側面が、あの「長い目」のせいではないかと思えて仕方ないのだ。

候補五回目で受賞した直木賞までの淡々とした歩みも、酒の強さも、また周囲の人々への尽きせぬ心遣いも、「長い目」のせいとしか思えない。自分のなかから湧きだす群像の如き多様な人々を、彼はあの長い目と長い手であくまでも明るく強く指揮しているかに見える。

そう。彼は手も長いのだ。

作品解説を頼まれて作家のからだのことを書いてどうするのか。

それはそうだが、私としては、たぶん道尾秀介をからだくらいでしか限定したくないのだ。

二〇一一年一月、道尾さんは『月と蟹』で第百四十四回直木賞を受賞した。ほどなく超多忙のなか、対談のため私のお寺を訪ねてくれた。そしてその後、親しい編集者と一緒に梅を見て祝杯をあげたが、それ以来お会いできずにいる。

たしかそれから二週間ほどで東日本大震災が起こってしまい、その後は福島県も彼の住む茨城県も、尋常ではない状況が長く続いた。

彼の住む町の具体的な様子は知らないが、放射能の問題も座視できない現実でありつづけたはずである。

しかし道尾秀介は「長い目」で見たまま多くを語らない。たぶんマスコミが扱うよりずっと切実な問題が、彼の頭には渦巻いているのだろう。

いま、原発や放射能の問題を、確実な遠景として描ける作家は、そう多くはない。私自身は渦中に放り込まれてしまったが、道尾さんには是非とも白い蝶のように独自の道を飛びつづけ、その希有《けう》な道を見せてほしい。先に引用した文章のように、人間の「いま」に光や陰翳《いんえい》をもたらすものは、常に「流れ」や「つながり」という歴史も含んだ複雑な「縁起」であり、原発も放射能もその一部を織りなすに過ぎないはずである。

湯島天神で私が一方的に申告した「約束のような」事柄が果たせていない。しばらくそれは保留になるかもしれないけれど、どうか道尾さん、もちまえの長い目で見ていてほしい。

あ。白い蝶が逃げるように、ふざけるように、闇の中で炯《ひか》る翅《はね》を動かして、ひらひらと高いところへ昇っていく……。それは長い目をした、ミチオタテハ。タテハチョウ亜科の希少種であった。

初出「小説すばる」
第一章　隠れ鬼……………2007年4月号
第二章　虫送り……………2007年10月号
第三章　冬の蝶……………2008年9月号
第四章　春の蝶……………2008年10月号
第五章　風媒花……………2009年1月号
第六章　遠い光……………2009年3月号

本文デザイン　片岡忠彦
本作品は二〇一〇年三月、集英社より刊行されました。

集英社文庫

光媒《こうばい》の花《はな》

2012年10月25日　第1刷
2021年1月10日　第8刷

定価はカバーに表示してあります。

著　者　道尾秀介《みちおしゅうすけ》
発行者　徳永　真
発行所　株式会社　集英社
東京都千代田区一ツ橋2-5-10　〒101-8050
電話　【編集部】03-3230-6095
【読者係】03-3230-6080
【販売部】03-3230-6393（書店専用）
印　刷　凸版印刷株式会社
製　本　凸版印刷株式会社

フォーマットデザイン　アリヤマデザインストア　　マークデザイン　居山浩二

ISBN978-4-08-746891-5 C0193